中華國學經典百部

精華本

# 智囊

[明] 冯梦龙 著
游一行 译

中国书店

图书在版编目（CIP）数据

智囊 /（明）冯梦龙著；游一行译 .—北京：中国书店，2023.10

（中华国学经典百部：精华本）

ISBN 978-7-5149-2963-8

Ⅰ．①智… Ⅱ．①冯… ②游… Ⅲ．①笔记小说—小说集—中国—明代②《增广智囊》—译文 Ⅳ．① I242.1

中国版本图书馆 CIP 数据核字（2022）第 075448 号

智囊

〔明〕冯梦龙 著　游一行 译

责任编辑：李宏书

---

出版发行：中国书店

地　　址：北京市西城区琉璃厂东街 115 号

邮　　编：100050

电　　话：（010）63171753（总编室）

（010）63017857（发行部）

印　　刷：三河市嘉科万达彩色印刷有限公司

开　　本：787mm × 1092mm　1/32

版　　次：2023 年 10 月第 1 版第 1 次印刷

字　　数：153 千

印　　张：6（全 300）

书　　号：ISBN 978-7-5149-2963-8

定　　价：1490.00 元（全 50 册）

# 前言

冯梦龙（1574—1646），明代文学家、思想家、戏曲家，字犹龙，又字耳犹、子犹，别号龙子犹、墨憨斋主人、吴下词奴、姑苏词奴、前周柱史……还有许多他使用过的笔名。

冯梦龙生于明万历二年（1574），这时西方世界正值文艺复兴时期，而我们这个几千年的文明古国，也出现了许多“离经叛道”的思想家、艺术家，如李卓吾、汤显祖、袁宏道等，他们以惊世骇俗的见解、鲜明的个性、卓绝的艺术成就，写就了我国思想史、文学史上的璀璨篇章。在这一批文人中，冯梦龙因为在小说、戏曲、民歌、笑话等通俗文学的创作、搜集、整理、编辑方面做了大量的工作，得以在我国文学史上留名。清顺治三年（1646），冯梦龙以七十三岁的高龄去世。这个时期似乎也是当时文人的死亡高峰期，就在这一年前后，有许多著名文学家，如凌濛初、侯峒曾、黄淳耀、黄道周、吴应箕、夏允彝、祁彪佳、刘宗周、阮大铖、王思任、杨廷枢、陈子龙、夏完淳等，都在战乱中死去。可以说，一场具有资本主义萌芽的中国式文艺复兴，就这样夭折了。

冯梦龙之所以能在文学上有所造诣，与他的家庭背景有着密切的关系。冯梦龙出生于南直隶苏州府吴县籍长洲（今江苏苏州）的一个名门世家，与他的兄长和弟弟因为才华出众被当时的人们称为“吴下三冯”。冯梦龙的兄长冯梦桂是一个画家，冯梦龙的弟弟冯梦熊是太学生（在太学读书的生员，亦是最高级的生员），他们二人曾协助冯梦龙治《春秋》，可惜这两人的作品都没有流传下来。

冯梦龙从小喜好读书，他在童年和青年时代与封建社会的许多读书人一样，把主要精力放在诵读经史以应科举上。他曾在《麟经指月》一书的《发凡》中回忆道：“不佞童年受经，逢人问道，四方之秘复，尽得疏观；廿载之苦心，亦多研悟。”他的忘年交王挺则说他：“上下数千年，澜翻廿一史。”不过，他的科举道路十分坎坷，他屡试不中，后来便在家中著书。因热恋一个叫侯慧卿的歌伎，冯梦龙与生活在苏州茶坊酒楼之中的人民频繁接触，这为他熟悉民间文学提供了第一手资料。他的《桂枝儿》《山歌》民歌集就是在那时创作的。

直到崇祯三年（1630），时年五十七岁的冯梦龙才补为贡生，次年破例授丹徒训导，崇祯七年（1634）升任福建寿宁知县，四年以后就回了家乡。科举之路的挫折，让他把主要精力放在了他热爱的文学上，他不只爱写诗文，更爱写历史小说和言情小说，虽然他的诗集没有流传下来，但值得庆幸的是，由他编纂的三十种著作得以传世，为中国留下了一批不朽的文化珍宝。《智囊》就是其中的一本著作。

《智囊》共分上智、明智、察智、胆智、术智、捷智、语智、兵智、闺智、杂智十部，共计二十八个小类，其中讲述了从先秦到明代的智慧故事，共一千多则，是一部反映古人运用智术计谋排忧解难、克敌制胜的奇书。本书撷取了一些对现代社会有较高实用价值的精华故事，希望能给读者朋友以启示。

# 目录

# 智囊自叙

冯子曰：人有智犹地有水，地无水为焦土，人无智为行尸。智用于人，犹水行于地，地势坳则水满之，人事坳则智满之。周览古今成败得失之林，蔑不由此。何以明之？昔者桀、纣愚而汤、武智，六国愚而秦智，楚愚而汉智，隋愚而唐智，宋愚而元智，元愚而圣祖智。举大则细可见，斯《智囊》所为述也。

或难之曰：智莫大于舜，而困于顽、嚚，亦莫大于孔，而厄于陈、蔡。西邻之子，六艺娴习，怀璞不售，鹑衣彀食；东邻之子，纥字未识，坐享素封，仆从盈百。又安在乎愚失而智得？冯子笑曰：子不见夫凿井者乎？冬裸而夏裘，绳以入，畚以出，其平地获泉者，智也，若夫土穷而石见，则变也。有种世衡者，屑石出泉，润及万家。是故愚人见石，智者见泉，变能穷智，智复不穷于变。使智非舜、孔，方且灰于廪，泥于井，俘于陈若蔡，何暇琴于床而弦于野？子且未知圣人之智之妙用，而又何以窥吾囊？

或又曰：舜、孔之事则诚然矣。然而“智囊”者，固大夫错所以膏焚于汉市也，子何取焉？冯子曰：不不！错不死于智，死于愚。方其坐而谈兵，人主动色，迨七国事起，乃欲使天子将而己居守，一为不智，谗兴身灭。虽然，错愚于卫身，而智于筹国，故身死数千年，人犹痛之，列于名臣。帨近斗筲之流，卫身偏智，筹国偏愚，以此较彼，谁妍谁媸？且“智囊”之名，子知其一，未知二也。前乎错，有樗里子焉；后乎错，有鲁匡、支谦、杜预、桓范、王俭焉，其在皇明，杨文襄公并擅此号。数君子者，迹不一轨，亦多有成功竖勋、身荣道泰。子舍其利而惩其害，是犹睹一人之溺，而废舟楫之用，夫亦愈不智矣！

或又曰：子之述《智囊》，将令人学智也。智由性生乎，由纸上乎？冯子曰：吾向者固言之：智犹水，然藏于地中者，性；凿而出之者，学。井涧之用，与江河参。吾忧夫人性之锢于土石，而以纸上言为之畚锸，庶于应世有瘳尔。

或又曰：仆闻"取法乎上，仅得乎中"。子之品智，神奸巨猾，或登上乘，鸡鸣狗盗，亦备奇闻，囊且秽矣，何以训世？冯子曰：吾品智，非品人也。不唯其人，唯其事，不唯其事，唯其智。虽奸猾盗贼，谁非吾药笼中硝、戟？吾一以为蛛网，而推之可渔，一以为蚕茧，而推之司室。譬之谷王，众水同舟，岂其择流而受！

或无以难，遂书其语于篇首。冯子名梦龙，字犹龙，东吴之畸人也。

# 智囊补自叙

忆丙寅岁，余坐蒋氏三径斋小楼近两月，辑成《智囊》二十七卷。以请教海内之明哲，往往滥蒙嘉许，而嗜痂者遂冀余有续刻。余菰芦中老儒尔，目未睹西山之秘籍，耳未闻海外之僻事，安所得匹此者而续之？顾数年以来，闻见所触，苟邻于智，未尝不存诸胸臆，以此补前辑所未备，庶几其可。虽然，岳忠武有言："运用之妙，在乎一心。"善用之，鸣吠之长可以逃死；不善用之，则马服之书无以救败。故以羊悟马，前刻已厌其繁；执方疗疾，再补尚虞其寡。第余更有说焉。唐太宗喜右军笔意，命书家分临《兰亭》本，各因其质，勿泥形模，而民间片纸只字，乃至搜括无遗。佛法上乘不立文字，四十二章后，增添至五千四十八卷而犹未已。故致用虽贵乎神明，往迹何妨乎多识？兹补或亦海内明哲之所不弃，不止塞嗜痂者之请而已也。书成，值余将赴闽中，而社友德仲氏以送余故同至松陵。德仲先行余《指月》《衡库》诸书，盖嗜痂之尤者。因述是语为叙而畀之。

吴门冯梦龙题于松陵之舟中

# 见大卷一

【原文】

一操一纵，度越意表。寻常所惊，豪杰所了。集《见大》。

【译文】

一操一纵，往往在预料之外，这是平凡的人最害怕碰上，豪杰之士却最能拿捏分寸的地方。集此为《见大》卷。

## 1.太公　孔子

【原文】

太公望封于齐。齐有华士者，义不臣天子，不友诸侯。人称其贤。太公使人召之三，不至；命诛之。周公曰："此人齐之高士，奈何诛之？"太公曰："夫不臣天子，不友诸侯，望犹得臣而友之乎？望不得臣而友之，是弃民也；召之三不至，是逆民也。而旌之以为教首，使一国效之，望谁与为君乎？"

评：齐所以无惰民，所以终不为弱国。韩非《五蠹》之论本此。

少正卯与孔子同时。孔子之门人三盈三虚。孔子为大司寇，戮之于两观之下。子贡进曰："夫少正卯，鲁之闻人。夫子诛之，得无失乎？"孔子曰："人有恶者五，而盗窃不与焉。一曰心达而险，二曰行僻而坚，三曰言伪而辩，四曰记丑而博，五曰顺非而泽。此五者有一于此，则不免于君子之诛。而少正卯兼之，此小人之桀雄也，不可以不诛也。”

评：小人无过人之才，则不足以乱国。然使小人有才，而肯受君子之驾驭，则又未尝无济于国，而君子亦必不概摈之矣。少正卯能煽惑孔门之弟子，直欲掩孔子而上之，可与同朝共事乎？孔子下狠手，不但为一时辩言乱政故，盖为后世以学术杀人者立防。

华士虚名而无用，少正卯似有大用，而实不可用。壬人佥士，凡明主能诛之。闻人高士，非大圣人不知其当诛也。唐萧瑶好奉佛，太宗令出家。玄宗开元六年，河南参军郑铣阳、丞郭仙舟投匦献诗。敕曰：“观其文理，乃崇道教，于时用不切事情。宜各从所好，罢官度为道士。”此等作用，亦与圣人暗合。如使佞佛者尽令出家，谄道者即为道士，则士大夫攻乎异端者息矣。

【译文】

太公望被周武王封在齐这个地方。齐国有个叫华士的人，他的做人原则是不臣服于天子，不结交诸侯，人们都称赞他很贤明。太公望派人请他三次他都不肯到，就命人杀了他。周公问太公说：“他是齐国的一位高士，怎么杀了他呢？”太公望说：“不臣服天子、不结交诸侯的人，我太公望还能使他臣服、与之结交吗？凡国君无法使之臣服、不得结交的人，就是上天要遗弃的人。召他三次而不来，则是叛逆之民。如果表扬他，使他成为全国民众效法的对象，那要我这个当国君的何用？”

评：齐国从此没有懒惰的人，因此始终没有沦为弱小国家。韩非《五蠹》的学说就是以此为本。

少正卯是和孔子同时代的名人，孔子的学生曾被少正卯蛊惑，数度离开学堂，使孔子的学堂由满座成为空虚。孔子做大司寇的时候，就下令在宫门外杀了少正卯。子贡向孔子进言道：“少正卯是鲁国的名人，老师您杀了他，会不会不恰当啊？”孔子说：“人有五种罪恶，比盗窃还要可恶：第一种是心思通达而阴险，第二种是行为乖僻而固执不改，第三种是言辞虚伪而能动人心，第四种是记取非义多而广博，第五种是顺应别人的过失并加以润饰。一般人只要有其中一种罪恶，就会被君子诛杀。而少正卯是五种罪恶都有，是小人中的小人，不能不杀。”

评：小人没有过人的才能，就不能祸乱国家。假使有才能的小人能接受君子的指引，未尝对国家没有好处，而君子也不应一概摒弃他们。可是少正卯煽动迷惑孔子的弟子，几乎要压过孔子，孔子还能和他同朝共事吗？孔子狠心下手，不只是为了阻止当时以口才便捷扰乱政局的状况，也为后世以学术原因杀人树立了榜样。

夸夸其谈的人徒具虚名而无实用，少正卯则好像很有用，实际上不可用。徒有口才而心术不正的小人，贤明的君主就应该杀了他。名人隐士，只有大圣人才能认识到其该杀的理由。唐朝萧瑶痴迷于拜佛，太宗命令他出家。玄宗开元六年（718），河南参军（官名，参谋军务，唐代兼管一郡军务）郑铣阳、丞郭仙舟献诗陈情，玄宗下诏：“看诗中的意思是在推崇道教。这种思想不切合时代的要求，当依其个人的喜好，免去官职做道士吧！”这种做法和圣人的行事正相吻合。假使痴迷佛、道的人都让他们出家做和尚、道士，那么士大夫以邪说异端攻击正道的事情就可以平息了。

## 2.诸葛亮

【原文】

有言诸葛丞相惜赦者。亮答曰：“治世以大德，不以小惠。故匡衡、吴汉不愿为赦。先帝亦言：‘吾周旋陈元方、郑康成间，每见启告，治乱之道悉矣，曾不及赦也。’若刘景升父子，岁岁赦宥，何益于治乎？”及费祎为政，始事姑息，蜀遂以削。

评：子产谓子太叔曰：“惟有德者，能以宽服民；其次莫如猛。

夫火烈，民望而畏之，故鲜死焉；水懦弱，民狎而玩之，则多死焉。故宽难。”太叔为政，不忍猛而宽。于是郑国多盗，太叔悔之。仲尼曰：“政宽则民慢，慢则纠之以猛；猛则民残，残则施之以宽。宽以济猛，猛以济宽，政是以和。”商君刑及弃灰，过于猛者也；梁武见死刑辄涕泣而纵之，过于宽者也。《论语》“赦小过”，《春秋》讥“肆大眚”。合之，得政之和矣。

【译文】

有人批评诸葛亮制定的法令太严苛，很少赦免罪人。诸葛亮回答说：“治理天下应本着至公至德之心，而不该随意施舍不当的小恩小惠。所以汉朝的匡衡、吴汉治国理政就认为无故开赦罪犯不是好事。先帝（刘备）也曾说过：‘我曾与陈元方、郑康成交往，从他们的言谈中，我经常受到教诲，可洞悉天下兴衰治乱的道理，但他们从没说过赦免罪人是治国之道。’又如刘景升父子（刘表、刘琮）年年都赦免人犯，对治理国家有什么帮助呢？”后来费祎主政，采用姑息宽赦的策略，西蜀的国势因此削弱不振。

评：子产对太叔说：“只有具有大德的人，才可以用宽容的方法来治理人民；次一等的就只能用严厉的律法来治理了。猛烈的大火，人看了就感到害怕，因此很少有人被烧死；平静的河水，人们喜欢接近嬉戏，却往往因此被淹死。所以用宽容的方法治理国家是很困难的，不是常人所能做到的。”后来太叔治理国家，不忍太过严厉而放宽，于是郑国盗匪猖獗，太叔非常后悔。孔子说：“政令过于宽容，百姓就会轻慢无礼，这时就要用严厉的律法来约束他们；过于严厉，百姓又可能凋残不堪，这时则要用宽松的政令来缓和他们的处境。用宽容来约束残弊，用严厉来整顿轻慢，这样才能做到人事通达，政风和谐。”商鞅对弃灰于道的人也处以黥刑，这样就太过严苛了；梁武帝每见有人要被执行死刑就流泪，并释放他们，这样又太过宽容。《论语》中有“对小的过错予以宽容”

的说法，而《春秋》曾讥斥“那些放纵有大过错的人”，二者只有调和得当，才能实现政事的和谐。

## 3.光武帝

【原文】

刘秀为大司马时，舍中儿犯法，军市令祭遵格杀之。秀怒，命取遵。主簿陈副谏曰：“明公常欲众军整齐。遵奉法不避，是教令所行，奈何罪之？”秀悦，乃以为刺奸将军，谓诸将曰：“当避祭遵。吾舍中儿犯法尚杀之，必不私诸将也！”

评：罚必则令行，令行则主尊。世祖所以能定四方之难也。

【译文】

东汉光武帝刘秀做大司马的时候，有一次他府中的一个奴仆犯法，军市令祭遵杀了这个人。刘秀很生气，命令部下将祭遵收押。主簿陈副规劝道：“主公一向希望能够军容整齐，纪律严明，现在祭遵依法办事，正是遵行军令的表现，怎么能怪罪他呢？”刘秀听了很高兴，不但赦免了祭遵，而且还让祭遵担任刺奸将军。又对所有的将士们说：“你们要多避让祭遵！我府中的奴仆犯法尚且被他杀了，他肯定不会偏袒你们的。”

评：赏罚分明，军令才能够推行，军令畅行无阻，主上自然受到尊重。刘秀正因为如此才能平定四方的战乱。

## 4.孔子

【原文】

孔子行游，马逸食稼。野人怒，絷其马。子贡往说之，毕词而不得。孔子曰：“夫以人之所不能听说人，譬以太牢享野兽，以九韶乐飞鸟也。”乃使马圉往谓野人曰：“子不耕于东海，予不游西海也，吾马安得不犯子之稼？”野人大喜，解马而予之。

评：人各以类相通。述《诗》《书》于野人之前，此腐儒之所以误国也。马圉之说诚善，假使出子贡之口，野人仍不从。何则？文质貌殊，其神固已离矣。然则孔子曷不即遣马圉，而听子贡之往耶？先遣马圉，则子贡之心不服。既屈子贡，而马圉之神始至。圣人达人之情，故能尽人之用。后世以文法束人，以资格限人，又以兼长望人，天下事岂有济乎？

【译文】

孔子有一天出游时，他的马挣脱了缰绳，啃食了路边地里的庄稼。农夫非常生气，捉住马并把它关了起来。子贡前去要马，放下架子低声下气地恳求农夫，用尽说辞也没有要回马。孔子说：“用别人听不懂的道理去说服他，就好比请野兽享用太牢（祭祀时所用的牛、羊、猪三牲，是最丰盛的祭品），请飞鸟聆听《九韶》（古乐名）一样。”于是孔子改派马夫前去要马，马夫对农夫说：“你从未离家到东边去耕作，我也不曾到西边来，但两地的庄稼长得一模一样，马儿怎知那是你的庄稼而不能偷吃呢？”农人听了觉得有道理，便把马儿还给了马夫。

评：物以类聚，人以群分。对粗人谈论诗书，这是不知变通的读书人所以误事的原因。马夫的话虽然有理，但这番话若是从子贡口中说出来，恐怕农夫仍然不会接受。为什么呢？因为子贡和农夫两人的学识、修养相差太远，彼此早已心存距离。然而孔子为什么不先让马夫去要马，而任由子贡前去说服农夫呢？因为如果一开始就让马夫前去，子贡心中一定不服气。如今不但子贡心中毫无怨尤，也使得马夫有了表现的机会。圣人能通达人情事理，所以才能人尽其才。后世常以成文的法规来束缚人，以各种资格来限制人，以拥有多种长处来期望人。这样，天下之事怎么还能有成功的希望呢？

## 5.胡世宁

【原文】

少保胡世宁，为左都御史，掌院事。时当考察，执政请禁私谒。公言：“臣官以察为名。人非接其貌，听其言，无以察其心之邪正、才之短长。若屏绝士夫，徒按考语，则毁誉失真，而求激扬之，难当矣。”上是其言，不禁。

评：公孙弘曲学阿世，然犹能开东阁以招贤人。今世密于防奸，而疏于求贤，故临事遂有乏才之叹。

【译文】

明孝宗时，少保胡世宁担任左都御史，负责掌管都察院的事。当时正要考核执政的官员，有人请孝宗下令禁止百官私自拜访都御史。胡少保向孝宗进言说：“为臣的职责是负责考察官员。如果不观察一个人的外貌、聆听他的言谈，就无法知道他心地是否正直、才能是否出众。如果禁止御史接触官员，只按照别人的评语来做判断，那么毁誉就失去了真实性。想要适当地激励选拔人才，就很难办到了。”孝宗同意他的奏言，于是没有实施该项禁令。

评：公孙弘从事邪曲不正的学术，又善于阿谀奉承，却能开设东阁，招请贤人。而当今之世，光顾着防范奸人却忽略了招揽贤人，所以一旦有事，就会感觉无人可用。

## 6.燕昭王

【原文】

燕昭王问为国。郭隗曰：“帝者之臣，师也；王者之臣，友也；伯者之臣，宾也；危国之臣，虏也。唯王所择。”燕王曰：“寡人愿学而无师。”郭隗曰：“王诚欲兴道，隗请为天下士开路。”于是燕王为隗改筑宫，北面事之。不三年，苏子自周往，邹衍自齐往，乐毅自赵往，屈景自楚归。

评：郭隗明于致士之术，便有休休大臣气象，不愧为人主师。

汉高封雍齿而功臣息喙，先主礼许靖而蜀士归心。皆予之以名，收之以实。

【译文】

燕昭王问郭隗治理国家的道理。郭隗说：“三皇五帝将大臣当作老师一样看待，有德的君主将臣子当作朋友一般交往，强人的盟主对待大臣如同宾客，只有走向亡国之君才会将臣下视同爪牙。听凭大王选择。”燕王说：“寡人愿意学习，却没有好老师。”郭隗说：“大王如果真想使国家富强，请让我为天下的读书人开路。”于是燕王为郭隗建筑居室，待之以师礼。不到三年，东周的苏秦来到了，齐国的邹衍来了，赵国的乐毅来了，楚国的屈景也来了。

评：郭隗深明招贤纳士的方法，从而有大度能容的气魄，不愧为帝王的老师。

汉高祖刘邦封雍齿为侯，其下之臣都很放心；蜀先主刘备，对许靖以礼相待，川蜀之士也都归心于他。这些虽然是给贤士们一个应有的名誉，但真正得到好处的则是治国之帝王啊。

## 7.丙吉　郭进

【原文】

吉为相，有驭吏嗜酒，从吉出，醉呕丞相车上。西曹主吏白欲斥之。吉曰："以醉饱之失去士，使此人复何所容？西曹第忍之，此不过污丞相车茵耳。"此驭吏边郡人，习知边塞发奔命警备事。尝出，适见驿骑持赤白囊，边郡发奔命书驰至。驭吏因随驿骑至公车刺取，知虏入云中、代郡。遽归，见吉白状，因曰："恐虏所入边郡二千石长吏有老病不任兵马者，宜可豫视。"吉善其言，召东曹案边郡吏科条其人。未已，诏召丞相、御史，问以所入郡吏。吉具对。御史大夫卒遽不能详知，以得谴让。而吉见谓忧边思职，驭吏力也。

郭进任山西巡检。有军校诣阙讼进者。上召讯，知其诬，即遣送进，令杀之。会并寇入，进谓其人曰："汝能讼我，信有胆气。今赦汝罪，能掩杀并寇者，即荐汝于朝。如败，即自投河，毋污我剑也。"其人踊跃赴斗，竟大捷。进即荐擢之。

评：容小过者以一长酬，释大仇者以死力报。唯酬报之情迫中，故其长触之而必试，其力激之而必竭。彼索过寻仇者，岂非大愚！

【译文】

西汉丙吉担任丞相时，有一个嗜酒如命的车夫随侍其外出，酒醉后呕吐在他的车上。西曹主吏把这件事禀告丙吉，想赶走这个车夫。丙吉阻止他说："因为酒醉的小过错而惩罚，以后哪里还有他容身之处呢？西曹你忍耐一下吧，他不过是弄脏了丞相的车垫子罢了。”这个车夫是边塞人，熟悉边塞紧急军情传递文书到京城的过程。有一次外出，他正好看见传递军书的人拿着红、白二色的袋子，知道边塞的郡县肯定有紧急事情发生。车夫跟随传书的人去官署，探知胡虏已经攻入云中、代郡等地，便立刻回府向丙吉禀告这件事，还建议说：“恐怕胡虏所进攻的边郡有不少年老多病、没有办法打仗的官员，大人是不是先了解一下有关的资料？”丙吉很同意他的话，立刻召见东曹（管理有关军吏任免的官吏），查询边郡官吏的档案，分条记录他们的年纪和经历等。还未核实完毕，宣帝便召见丞相和御史大夫，询问敌军入侵郡县中的官吏情况。丙吉一一对答，而御史大夫由于在仓促之间不能详知，被宣帝谴责。丙吉却因虑念边疆之事、忠于职守被人们所称道，这都是那个车夫的功劳啊。

宋朝人郭进任山西巡检时，他手下有一个军校进京告御状，控告郭进不守法度。天子召入询问，知道他是诬告，就将他遣送回山西，交给郭进，让郭进杀了他。当时正赶上并州贼寇入侵，郭进就对这个军官说：“你敢诬告我，我相信你很有胆量。现在我赦免你的罪，如果你能将并州敌寇消灭掉，我就上书朝廷推荐你；如果失败，你就自己去投河，不要弄脏了我的宝剑。”这个军校奋不顾身，拼死作战，结果大获全胜。郭进当真推荐他升了官。

评：容忍小的过失，能得到对方以长处作为回报；饶恕大仇人，更能得到对方不顾生死的报答。对方回报的情意积聚在心底，迫切想要回报，因此平时他会慢慢寻找机会回报你，紧急关头他更会竭尽所能报答你。那些睚眦必报的人，难道不是很愚蠢吗！

## 8.楚庄王　袁盎

【原文】

楚庄王宴群臣，命美人行酒。日暮，酒酣烛灭，有引美人衣者。美人援绝其冠缨，趣火视之。王曰：“奈何显妇人之节，而辱士乎！”命曰：“今日与寡人饮，不绝缨者不欢。”群臣尽绝缨而火，极欢而罢。及围郑之役，有一臣常在前，五合五获首，却敌，卒得胜。询之，则夜绝缨者也。

盎先尝为吴相时，盎有从史私盎侍儿。盎知之，弗泄。有人以言恐从史，从史亡。盎亲追反之，竟以侍儿赐，遇之如故。景帝时，盎既入为太常，复使吴。吴王时谋反，欲杀盎，以五百人围之。盎未觉也。会从史适为守盎校尉司马，乃置二百石醇醪，尽饮五百人醉卧，辄夜引盎起，曰：“君可去矣，旦日王且斩君。”盎曰：“公何为者？”司马曰：“故从史盗君侍儿者也。”于是盎惊脱去。

评：梁之葛周、宋之种世衡，皆用此术克敌讨叛。若张说免祸，可谓转圜之福。兀术不杀小卒之妻，亦胡虏中之杰然者也。

葛周尝与所宠美姬同饮，有侍卒目视姬不辍，失答周问。既自觉，惧罪。周并不言。后与唐师战，失利，周呼此卒奋勇破敌，竟以美姬妻之。

胡酋苏慕恩部落最强，种世衡尝夜与饮，出侍姬佐酒。既而世衡起入内，慕恩窃与姬戏。世衡遽出掩之，慕恩惭愧请罪。世衡笑曰：“君欲之耶？”即以遗之。由是诸部有贰者，使慕恩讨之，无不克。

张说有门下生盗其宠婢，欲置之法。此生呼曰：“相公岂无缓急用人时耶？何惜一婢！”说奇其言，遂以赐而遣之。后杳不闻。及遭姚崇之构，祸且不测。此生夜至，请以夜明帘献九公主，为言于玄宗，得解。

金兀术爱一小卒之妻，杀卒而夺之，宠以专房。一日昼寝，觉，忽见此妇持利刃欲向。惊起问之，曰："欲为夫报仇耳。"术嘿然，麾使去。即日大享将士，召此妇出，谓曰："杀汝则无罪，留汝则不可。任汝于诸将中自择所从。"妇指一人，术即赐之。

【译文】

楚庄王设宴招待群臣，令美姬为大臣们斟酒。到了傍晚时分，大家都喝得醉醺醺的，蜡烛也熄灭了，有一个臣子拉着美姬的衣带不放，那美姬顺手便揪断了他的帽缨，催促点亮烛火要看没有帽缨的人是谁。庄王说："怎么可以为了显扬妇人的节操，而屈辱一名国士呢？"于是下令："今天和寡人一起喝酒的臣子，不拉断帽缨的人表示不够尽兴。"群臣于是纷纷拉断了自己的帽缨，然后点上蜡烛，喝到尽兴才散席。后来在楚国围攻郑国的战役中，有一臣子每次交战都冲锋在前，五次交战，五次都取下敌将的首级，大败敌军，全军获胜。庄王询问他如此骁勇作战的原因，原来他就是被美姬揪断帽缨的人。

汉朝的袁盎原来做吴王刘濞的丞相时，他的一位从史私通其侍妾，袁盎得知后从没泄露过此事。有人恐吓从史，从史便逃走了。袁盎亲自把他追回来，还把侍妾赐给他，待他还像以前一样。汉景帝时，袁盎担任太常，又奉命出使吴国。吴王当时图谋造反，想杀死袁盎，便派了五百个士兵包围袁盎的住处。袁盎没有发觉。正好那位从史在围困袁盎的军队里担任校尉司马，他买好二百石酒，请那五百多人畅饮，那些人个个喝得烂醉如泥，校尉就在夜中喊醒袁盎，对他说："您快走吧！天一亮吴王就要杀您了。"袁盎问："你是什么人？"司马说："我就是以前私通您府上侍妾的从史啊。"袁盎听后十分吃惊，急忙逃离吴国。

评：五代时后梁的葛周、北宋的种世衡，都运用了这种战术攻打敌军，讨伐叛逆。譬如唐朝张说躲过祸殃之事，可算得上是挽回之福。金兀术不杀那个谋杀他的小兵的妻子，也是胡人之中的俊杰之士啊。

葛周曾与宠姬一起喝酒，有个侍卒在一旁目不转睛地看着宠姬，以至答不上葛周的问话。那个侍卒自觉失态，害怕葛周惩罚他，可葛周什么也没有说。后来葛周与后唐交战失利，葛周召来这个侍卒，让侍卒出战，侍卒奋勇破敌，葛周竟把他的宠姬赐给侍卒做妻子。

北宋初年，苏慕恩的部落在胡人中是最强大的。当时镇守边关的种世衡夜间与他一起饮酒，并叫出侍姬来劝酒。席间种世衡有事离席进内室，苏慕恩偷偷地调戏侍姬。种世衡突然走出来看见这一幕，苏慕恩惭愧地请罪。种世衡笑说："您想要她吗？"随即把美姬送给了苏慕恩。从此，各部落凡是有二心的，种世衡都派苏慕恩前去讨伐，没有不成功的。

唐玄宗时，张说有个门生和他宠爱的一个女婢私通，张说想依法处置他。这个门生突然急呼道："相公难道以后没有紧急用人的时候吗？何必吝惜一个婢女！"张说觉得他的话很新奇，就把婢女送他，打发他走了。此后也不知道他哪里去了。后来张说遭到姚崇的陷害，随时可能大祸临门。这个门生在一个晚上突然登门，请张说将夜明帘进献给九公主，让九公主为他在玄宗面前说好话，才化解了这场祸事。

金兀术喜欢一个士卒的妻子，就杀死士卒夺走了他的妻子，对其十分宠爱。有一天他在白天睡觉时惊醒，忽然看见那妇人拿着刀在向他逼近，金兀术大惊而起，问妇人为什么，妇人说："我要为丈夫报仇！"金兀术很是吃惊，挥手叫她出去。第二天，金兀术设宴款待将士们，把那妇人叫出来，说："杀你吧，你没有罪；留下你吧，也很不合适。今日任凭你在众将中选择一个，和他一起去吧。"那妇人指中一人，金兀术即把妇人赐给了他。

# 9.王猛

【原文】

猛督诸军六万骑伐燕。慕容评屯潞川。猛进与相持，遣将军徐成觇燕军。期日中，及昏而反，猛怒，欲斩成。邓羌请曰：“贼众我寡，诘朝将战，且宜宥之。”猛曰：“若不斩成，军法不立。”羌固请曰：“成，羌部将也，虽违期应斩，羌愿与成效战以赎罪。”猛又弗许。羌怒，还营，严鼓勒兵，将攻猛。猛谓羌义而有勇，使语之曰：“将军止，吾今赦之矣。”成既获免，羌自来谢。猛执羌手而笑曰：“吾试将军耳。将军于郡将尚尔，况国家乎！”

评：违法请宥，私也；严鼓勒兵，悍也；且人将攻我，我因而赦之，不损威甚乎？然羌竟与成大破燕兵，以还报主帅，与其伸一将之威，所得孰多？夫所贵乎军法，又孰加于奋勇杀敌者乎？故曰：圆若用智，唯圆善转。智之所以灵妙而无穷也。

【译文】

魏晋南北朝时，王猛率领各路六万骑兵进攻燕国，当时慕容评屯兵于潞州。王猛兵进潞州，与慕容评相持不下。于是王猛派大将徐成去燕国侦察，限他在中午前来禀报，结果他到黄昏才回来。王猛很生气，要杀了徐成。邓羌为徐成求情，说：“现在敌军众多而我军人少力薄，明早还要开战，应该原谅他。”王猛说：“今日若不斩徐成，难振我军规。”邓羌坚决为徐成求情，说：“徐成是我的部下，虽违期该斩，但我愿与徐成同往破敌，以将功赎罪。”王猛还是不肯。邓羌很生气，回营后，他击鼓整军，要来攻打王猛。王猛认为邓羌义勇双全，便派人告诉他：“将军暂且停兵，我现在就赦免徐成。”徐成得到赦免后，邓羌亲自来向王猛谢罪。王猛握着他的手笑道："我只是试试你罢了，将军你对部下如此重义，何况对国家呢！"

评：违反法令而强求宽赦，是偏私的表现；击鼓整军，又是强悍的行为；在有人即将攻击我的时候，顺势赦人，难道不会损害威严吗？但是邓羌后来和徐成大败燕军，以回报主帅的恩惠，这和伸张将军的威严比起来，孰轻孰重呢？军法固然要重视，但又有什么比奋勇杀敌的人更可贵呢？所以说："运用智慧要圆通，只有圆通才能巧妙地进行转换。"这就是智慧灵妙无穷的道理所在。

## 10.柳玭

【原文】

唐柳大夫玭，谪授泸州郡守。渝州有牟磨秀才，即都校牟居厚之子，文采不高，执所业谒见。柳奖饰甚勤。子弟以为太过，柳曰："巴蜀多豪士，此押衙之子，独能好文，苟不诱进，渠即退志。以吾称誉，人必荣之，由此减三五员草贼，不亦善乎？"

【译文】

唐朝御史大夫柳玭被贬职任泸州郡守时，渝州有位秀才叫牟磨，是都校牟居厚的儿子，他的文采并不高，却拿着自己的作品上门拜见柳玭。柳对此人多次赞赏。家中后辈们都认为柳玭太过于赞赏牟磨了。柳玭说："巴蜀一带多豪杰之士，而这押衙的儿子却偏好文学，如果不引导其上进，他便会意志衰退。因为我称赞了他，别人也必然会看重他，这样巴蜀之地就会减少三五个乱民，不是很好吗？"

## 11.范文正

【原文】

范文正公用士，多取气节而略细故，如孙威敏、滕达道，皆所素重。其为帅日，辟置僚幕客，多取谪籍未牵复人。或疑之，公曰：“人有才能而无过，朝廷自应用之。若其实有可用之材，不幸陷于吏议，不因事起之，遂为废人矣。”故公所举多得士。

评：天下无废人，所以朝廷无废事，非大识见人不及此。

【译文】

范文正公（范仲淹）任用士人，一向注重气节才干，而不拘泥于小过失，如孙威敏、滕达道等人都曾受到他的看重。在他为帅的时候，其府中所用的幕僚，多是一些被贬官而尚未平反复职的人。有人觉得很奇怪，文正公说：“有才能而无过失的人，朝廷自然会任用他们。至于那些可用之才，不幸因事受到处罚，如果不乘机起用他们，他们就要变成真正的废人了。”因此文正公麾下拥有很多有才能的人。

评：如果天下没有被废弃的人，朝廷就不会有荒废的事情。不是非常有见识的人，是无法做到这一点的。

## 12.萧何　任氏

【原文】

沛公至咸阳，诸将皆争走金帛财物之府分之，何独先入收秦丞相、御史律令图书藏之。沛公具知天下阨塞户口多少强弱处、民所疾苦者，以何得秦图书也。

宣曲任氏，其先为督道仓吏。秦之败也，豪杰争取金玉，任氏独窖仓粟。楚汉相距荥阳，民不得耕种，米石至万，而豪杰金玉尽归任氏。

评：二人之智无大小，易地则皆然也。又蜀卓氏，其先赵人，用铁冶富。秦破赵，迁卓氏之蜀，夫妻推辇行。诸迁虏少用余财，争与吏求近处，处葭萌。唯卓氏曰："此地陋薄。吾闻岷山之下沃野，下有蹲鸱，至死不饥，民工作布，易贾。"乃求远迁。致之临邛，即铁山鼓铸，运筹贸易，富至敌国。其识亦有过人者。

【译文】

汉高祖刘邦攻下咸阳城后，很多将领都争先恐后地去官府中劫掠金银财宝，只有萧何先去收集秦朝丞相御史留下的律令图画，加以妥善保存。刘邦能详知天下要塞之地户口的多少、势力的强弱、人民的疾苦，都是因为萧何收集的秦朝律令图画。

陕西宣曲任氏的祖先是看管仓库的官吏。秦朝兵败以后，一般的豪杰之士都争相夺取金银宝物，只有任氏一家储存粮食。后来楚汉长期对峙于荥阳，人民无法耕种，米价涨到一万钱一石，于是很多豪杰之士手中的金银财宝都变成任氏的了。

评：这两个人的才智不分高下，如果易地而处，结果也是一样。又比如四川卓氏，祖先是赵国人，以炼铁致富。秦灭赵以后，要将卓氏迁到四川去。夫妻俩推着车子一路行去。所有被迫迁徙的家族，几乎都争相用本已极少的一些财物贿赂官吏，希望可以让他们就近在葭萌县定居。只有卓氏说："葭萌土地狭窄贫瘠，谋生不易。我听说岷山下有一块肥沃的平原，当地的大芋头长得很好，那儿的人终生不会挨饿，而且那里的人善于织造布匹，生意也好做，是一个很好的谋生之地。"于是他主动要求迁到比较远的临邛县。卓氏在铁山之下采矿炼铁，经营贸易，终至富可敌国。这样的见识也远远超过了一般人啊。

# 13.蔺相如　寇恂

【原文】

赵王归自渑池，以蔺相如功大，拜为上卿，位在廉颇之右。廉颇自侈战功，而相如徒以口舌之劳位居其上，以羞，宣言曰："我见相如必辱之！"相如闻，不肯与会；每朝，常称病，不欲与颇争列。已而相如出，望见廉颇，辄引车避匿。于是舍人相与谏相如，欲辞去。相如固止之曰："公之视廉颇孰与秦王？"曰："不若也。"相如曰："夫以秦王之威，而相如廷叱之，辱其群臣。相如虽驽，独畏廉将军哉？顾吾念之：强秦之所以不敢加兵于赵者，徒以吾两人在也。今两虎共斗，势不俱生，吾所以为此者，先国家之急而后私仇也。"颇闻之，肉袒负荆，因宾客至相如门谢罪，遂为刎颈之交。

贾复部将杀人于颍川，太守寇恂捕戮之。复以为耻，过颍川，谓左右曰："见恂必手刃之！"恂知其谋，不与相见。姊子谷崇请带剑侍侧，以备非常。恂曰："不然。昔蔺相如不畏秦王而屈于廉颇者，为国也。"乃敕属县盛供具，一人皆兼两人之馔。恂出迎于道，称疾而还。复勒兵欲追之，而将士皆醉，遂过去。恂遣人以状闻，帝征恂，使与复结友而去。

评：汾阳上堂之拜，相如之心事也。莱公蒸羊之逆，寇恂之微术也。

安思顺帅朔方，郭子仪与李光弼俱为牙门都将，而不相能，虽同盘饮食，常睇目相视，不交一语。及子仪代思顺，光弼意欲亡去，犹未决。旬日诏子仪率兵东出赵、魏，光弼入见子仪曰："一死固甘，乞免妻子。”子仪趋下，持抱上堂而泣曰：“今国乱主迁，非公不能东伐，岂怀私忿时耶！”执其手，相持而拜，相与合谋破贼。丁谓窜崖州，道出雷州，先是谓贬准为雷州司户，准遣人以一蒸羊迎之境上。谓欲见准，准拒之。闻家僮谋欲报仇，亟杜门纵博，俟谓行远，乃罢。

【译文】

赵惠文王从渑池回国后，认为蔺相如功劳最大，遂拜相如为上卿，其官位居廉颇之上。廉颇自以为南征北战建立了大功，而蔺相如只不过费了一点口舌，官位居然高过自己，就说：“我若遇见蔺相如，一定要羞辱他一番。”蔺相如听闻这件事后，就避免与廉颇相见，每天上朝，都假称自己有病，不想和廉颇相争。有一次蔺相如外出，远远望见廉颇，就绕道避开他。于是，相如的门客们纷纷劝谏他，甚至想辞相如而去。蔺相如极力劝说他们：“你们认为廉颇比得上秦王吗？”门客们都说：“比不上。”蔺相如又说：“秦王那么威武，我都敢在庭堂之上斥责他，并侮辱他的大臣。我虽愚笨，难道还会畏惧廉颇将军吗？我顾念的是，强秦之所以不敢对我赵国用兵，是因为有我们两个人在。如果我们两个人相斗，势必不会同时生存，我之所以这样做，是把国家利益置于首位，个人私仇放在后面。”廉颇听闻这番话后，便袒露上身，背负荆条，由宾客引到蔺相如门前请罪，从此两人结为生死之交。

东汉年间，贾复的部下在颍川伤了人命，太守寇恂将他逮捕并处死。贾复把这件事看作是自己的耻辱，他经过颍川时对自己的部将说：“我看见寇恂一定亲手杀死他。”寇恂知道贾复的预谋后，就有意躲着不见他。寇恂姐姐的儿子谷崇请求佩剑随侍在侧，以备万一。寇恂说：“不行。从前蔺相如不怕秦王，却宁愿受屈于廉颇，是为国家着想。”于是命令所属各县要盛情接待贾复，双倍款待贾复一行。寇恂在途中迎接贾复，但又托病先行返回。贾复想麾兵追赶，可将士们都喝醉了，只好作罢。寇恂派人把真实情况禀告给了朝廷，光武帝便把寇恂召进宫中，让他与贾复结为朋友，再到颍川去。

评：郭子仪和李光弼在汾阳上堂结拜，和蔺相如的想法一样。寇莱公（寇准）以蒸羊迎接丁谓，用的也是寇恂之术。

安思顺任朔方节度使时，郭子仪与李光弼都是牙门都将，但二人都讨厌对方，虽然坐在一起吃饭，但常常是怒目相视，彼此一句话也不说。等到郭子仪接替安思顺的职位之后，李光弼便想离去，但还没下定决心。过了十天，玄宗皇帝下诏书要郭子仪领兵攻打赵魏之地，李光弼拜见郭子仪，说："我个人死不足惜，只求您赦免我的家人。"郭子仪快步过来，抱着李光弼声泪俱下，说："现在国家危难，皇上离京避难，只有你能东征，岂能计较私怨呢？"遂握其双手，连连相拜，共同商讨破敌之策。北宋大臣丁谓被贬至崖州，途经雷州。寇准知道后，便派人携带一只蒸羊，在州境上迎接。丁谓很是感动，想见见寇准，寇准回绝了他。寇准听闻家童们都想替自己报仇，就立即关上门户，让他们尽情赌博，等到丁谓走远后才停止。

## 14.古弼　张承业

【原文】

魏太武尝校猎西河，诏弼以肥马给骑士。弼故给弱者。上大怒，曰："尖头奴，敢裁量我！还台先斩此奴！"时弼属尽惶惧，弼告之曰："事君而使君盘游不适，其罪小；不备不虞，其罪大。今北狄南虏，狡焉启疆，是吾忧也。吾选肥马以备军实，苟利国家，亦何惜死！明主可以理干，罪自我，卿等无咎。"帝闻而叹曰："有臣如此，国之宝也！"弼头尖，帝尝名之曰“笔头”，时人呼为“笔公”。

后唐庄宗尝须钱蒱博，赏赐伶人，而张承业主藏钱，不可得。庄宗置酒库中，酒酣，使其子继岌为承业起舞。舞罢，承业出宝带币马为赠。庄宗指钱积语承业曰：“和哥乏钱，可与钱一积，安用带马？”承业谢曰：“国家钱，非臣所得私。”庄宗语侵之，承业怒曰：“臣老敕使，非为子孙，但受先王顾命，誓雪国耻，惜此钱，佐王成霸业耳！若欲用，何必问臣？财尽兵散，岂独臣受祸出！”因持庄宗衣而泣。乃止。

【译文】

北魏太武帝有一次要去西河打猎，命令古弼为骑士准备肥壮的马。古弼却故意给骑士瘦弱的马。太武帝很生气，说：“尖头奴才！竟敢裁减我的用度，回去后一定要先杀了他。”古弼的部属都很害怕，古弼告诉他们说：“侍奉君主而使君主在游玩时扫兴，这是小罪；不备战、不防御，这才是大罪。现在北有戎狄，南有强虏，狡猾异常，经常侵扰边疆，这才是我最担心的。我选的肥马都用以充实军队，这都是对国家有利的事，今虽犯罪，我死又何惜！圣明的君主可以用道理说服他，罪责在我，与你们无关。”太武帝听到了，不无感慨地说：“这样的臣子真是国家之宝啊！”古弼的头尖尖的，太武帝常称他“笔头”，当时的人则称他“笔公”。

后唐庄宗用钱赌博，赏赐伶人，而张承业主管钱库，不肯给。有一次，庄宗在钱库中设宴，酒酣之时，庄宗令他的儿子继岌给承业跳舞。跳完后，张承业拿出缀有珠宝的腰带和好马相赠，庄宗指着钱堆对张承业说：“和哥（继岌的小名）缺钱，你可给他一堆钱，怎能用宝带、好马来敷衍了事。”承业谢罪说：“这是国家的钱财，而不是我的私人财产。”庄宗又用言语刺之，张承业生气地说：“我不过是个老敕使，不是为了我的子孙后代，只是先王临终遗言，立誓要洗雪国耻，我之所以爱惜这些钱财，是想辅佐陛下成就霸业。如果陛下要用，何苦问臣下，等到钱财用光，军队散尽之时，难道只是臣下一个人受祸吗？”说罢，他拉着庄宗的衣角痛哭。庄宗只好作罢。

## 15.冯谖

**【原文】**

孟尝君问门下诸客：“谁习计会，能为收责于薛者？”冯谖署曰：“能。”于是约车治装，载券契而行，辞曰：“责毕收，以何市而反？”孟尝君曰：“视吾家所寡有者。”谖至薛，召诸民当偿者悉来，既合券，矫令以责赐诸民，悉焚其券。民称“万岁”。长驱至齐，孟尝君怪其疾也，衣冠而见之，曰：“责毕收乎？”曰：“收毕矣。”“以何市而反？”谖曰：“君云视吾家所寡有者，臣窃计君宫中积珍宝，狗马实外厩，美人充下陈，君家所寡有者，义耳！窃以为君市义。”孟尝君曰：“市义奈何？”曰：“今君有区区之薛，不拊爱其民，因而贾利之。臣窃矫君命以责赐诸民，因焚其券，民称万岁：乃臣所以为君市义也！”孟尝君不悦，曰：“先生休矣！”后期年，齐王疑孟尝，使就国。未至薛百里，民扶老携幼争趋迎于道，孟尝君谓谖曰：“先生所为文市义者，乃今日见之。”

评：谖使齐复相田文，及立宗庙于薛，皆纵横家熟套。唯“市义”一节高出千古，非战国策士所及。保国保家者，皆当取法。

**【译文】**

孟尝君问门下的食客：“谁熟习账目，能为我去领地薛收债？”冯谖自荐说：“我能。”于是冯谖准备车辆，整理行装，载着债券契约出发，向孟尝君告辞说："债收完后，要买什么东西回来？"孟尝君回答说："您看我家缺少什么就带什么。"冯谖到薛之后，将欠债的人都如数找来，核对债券无误后，谎称孟尝君命令免除大家的债务，烧掉了所有的债券，欠债的人都欢呼"万岁"。然后冯谖坐着马车直接回到齐国都，孟尝君惊讶他办事迅速，便穿戴好衣帽迎接冯。孟尝君问："债都收完了吗？"冯谖说："收完了。"孟尝君问："你买了什么回来？"冯谖说："您说买您家中缺少的东西，我揣测主君家中珍宝堆积如山，圈里的马狗应有尽有，美姬遍布庭院，主君家中缺少的，只有仁义！我便私自为您买来了尊贵的仁义。"孟尝君说："仁义怎么买呀？"冯谖说："目前主君只有小小的一个薛地，却不爱抚薛民，还以赚钱为目的向他们放债；所以我诈称您下令免除他们债务，因而烧了那些债券，人民都欢呼万岁，这就是我为您买的仁义。"孟尝君很不高兴，说："先生别说了，下去吧。"一年后，齐王怀疑孟尝君，遣他回他的封邑去。孟尝君离薛地还有一百多里，薛地的老百姓就扶老携幼，争先恐后地在道路旁迎接孟尝君。孟尝君很是感慨，对冯谖说："先生您为我买的仁义，今天我终于看到了。"

评：冯谖让齐王再次任用田文为宰相，并在薛地设立宗庙，都是纵横家常用的一套。唯独买义这一高节，超过千古，这是战国谋策之士所不能做到的，想要保国保家的人都应效仿。

# 远犹卷二

【原文】

谋之不远，是用大简。人我迭居，吉凶环转。老成借筹，宁深毋浅。集《远犹》。

【译文】

有谋略无远见，故我前来规劝。人我的地位会更迭，吉凶祸福可能交替循环。因此，老成人一旦筹划谋略，都考虑深远而不只顾眼前。集此为《远犹》卷。

## 1.训储（二条）

【原文】

商高宗为太子时，其父小乙尝使久居民间，与小民出入同事，以知其情。

评：太祖教谕太子，必命备历农家，观其居处、服食、器用，使知农之劳苦。洪武末选秀才，随春坊官分班入直，近前说民间利害等事。成祖巡行北京，使二皇长孙周行村落，历观农桑之事。论教者宜以为法。

张昭先逮事唐明宗。明宗诸皇子竞侈汰。昭疏训储之法，略云："陛下诸子，宜各置师傅，令折节师事之。一日中但令止记一事，一岁之内，所记渐多。则每月终令师傅共录奏闻。俟皇子上谒，陛下辄面问，倘十中得五，便可博识安危之故，深究成败之理。"明宗不能用。

评：此可为万世训储之法，胜如讲经说书，作秀才学问也。

【译文】

商高宗做太子时，他的父亲小乙曾让他住在民间，和老百姓共同生活做事，使他了解民情。

评：明太祖教诲太子，一定要他去经历农家生活，观察农人的饮食起居，使他知晓农家的劳苦。洪武末年选秀才，太子随自己属下的官吏分组到太祖面前，报告民间疾苦。成祖巡视北京，让两个皇室长孙去巡行村落，观察农桑之事。这种做法值得职司民政教化的人多加效法。

五代人张昭起先在后唐明宗朝中做官。当时明宗的几个皇子都攀比着奢侈浪费。张昭上疏说明训练继位者的方法，大意是说："陛下的几个皇子应该各自安排一位老师，让他们降低辈分来尊敬师长。命令他们每一天记一件事，一年下来记的事就多了。每个月月末，让他们的老师将这种记事禀奏陛下；待皇子晋见时，陛下当面提出问题，假如十题之中几个皇子能回答五题，就算得上能够明了安危的原因，体会成败的道理。"但明宗不予采用。

评：这是可以用于万世的训练储君的方法，胜过讲经说书等秀才的死读书学问。



## 2.李泌

【原文】

肃宗子建宁王倓性英果，有才略。从上自马嵬北行，兵众寡弱，屡逢寇盗，倓自选骁勇居上前后，血战以卫上。上或过时未食，倓悲泣不自胜。军中皆属目向之。上欲以倓为天下兵马元帅，使统诸将东征。李泌曰："建宁诚元帅才。

然广平，兄也，若建宁功成，岂使广平为吴太伯乎？”上曰：“广平，冢嗣也，何必以元帅为重！”泌曰：“广平未正位东宫。今天下艰难，众心所属，在于元帅。若建宁大功既成，陛下虽欲不以为储副，同立功者其肯已乎？太宗、太上皇即其事也。”上乃以广平王俶为天下兵马元帅，诸将皆以属焉。倓闻之，谢泌曰：“此固倓之心也！”

【译文】

唐肃宗的第三儿子建宁王李倓生性英明果决，有雄才大略。他跟随唐肃宗从马嵬驿北上，随行士兵人少且多老弱，多次遭遇盗匪，李倓于是亲自挑选骁勇的士兵在肃宗身边护卫，拼死保卫肃宗安全。肃宗有时没按时吃饭，李倓就难过得哭了，为军中上下所赞赏。因此肃宗想封他为天下兵马元帅，统领诸将东征。李泌劝阻说：“建宁王确实是元帅的人才。然而广平王（李俶）是长兄，如果建宁王战功大，难道让广平王成为第二个吴太伯吗？”肃宗说：“广平是嫡长子，以后的皇位继承人，如何还需要担当元帅之职以巩固自己的地位！”李泌说：“广平王尚未正式立为太子，现在国家艰难，众人心之所系都在元帅身上。如果建宁王立下大功，陛下即使不想立他做继承人，但是同他一起立下汗马功劳的人难道肯善罢甘休吗？太宗与太上皇（唐玄宗）之事就是最好的例子。”唐肃宗于是任命广平王李俶为天下兵马元帅，要求诸将服从他的号令。李倓听说这件事，向李泌致谢说：“如此正合我意。”

## 3.白起祠

【原文】

贞元中，咸阳人上言见白起，令奏云：“请为国家捍御四陲。正月吐蕃必大下。”既而吐蕃果入寇，败去。德宗以为信然，欲于京城立庙，赠起为司徒。李泌曰：“臣闻‘国将兴，听于人’。今将帅立功，而陛下褒赏白起，臣恐边将解体矣。且立庙京师，盛为祷祝，流传四方，将召巫风。臣闻杜邮有旧祠，请敕府县修葺，则不至惊人耳目。”上从之。

【译文】

唐德宗贞元年间，咸阳人进言说看见了白起，县令向朝廷禀奏说：“请加强四方边塞的军事防备。正月吐蕃一定会大举进兵入侵。”不久吐蕃果然入侵，后来又兵败而去。德宗很相信这件事，想在京师设立白起庙，追赠白起为司徒。李泌说：“臣听说‘国家将要兴盛的话，是因为听信于人’。如今将帅立功，而陛下却褒扬秦朝的白起，微臣恐怕以后边防会解体。而且在京城立庙祭祀，大肆祷告，流传出去，会引起迷信巫教的风气。我听说杜邮有白起的旧祠，请陛下下令府县修葺一番，就不会惊动天下人的耳目了。”德宗听从了他的建议。

## 4.宋太祖（三条）

【原文】

初，太祖谓赵普曰：“自唐季以来数十年，帝王凡十易姓，兵革不息，其故何也？”普曰：“由节镇太重。君弱臣强，今唯稍夺其权，制其钱谷，收其精兵，则天下自安矣。”语未毕，上曰：“卿勿言，我已谕矣。”

顷之，上与故人石守信等饮，酒酣，屏左右，谓曰：“我非尔曹之力，不得至此。念汝之德，无有穷已。然为天子亦大艰难，殊不若为节度使之乐。吾今终夕未尝安枕而卧也。”守信等曰：“何故？”上曰：“是不难知，居此位者，谁不欲为之？”守信等皆惶恐顿首，曰：“陛下何为出此言？”上曰：“不然。汝曹虽无心，其如麾下之人欲富贵何！一旦以黄袍加汝身，虽欲不为，不可得也。”守信等乃皆顿首泣，曰：“臣等愚不及此，唯陛下哀怜，指示可生之路。”上曰：“人生如白驹过隙，所欲富贵者，不过多得金钱，厚自娱乐，使子孙无贫乏耳。汝曹何不释去兵权，择便好田宅市之，为子孙立永久之业，多置歌儿舞女，日饮酒相欢，以终其天年；君臣之间，两无猜嫌，不亦善乎！”皆再拜曰：“陛下念臣及此，所谓生死而骨肉也！”明日皆称疾，请解兵权。

评：或谓宋之弱，由削节镇之权故。夫节镇之强，非宋强也。强干弱枝，自是立国大体。二百年弊穴，谈笑革之，终宋世无强臣之患，岂非转天移日手段！若非君臣偷安，力主和议，则寇准、李纲、赵鼎诸人用之有余，安在为弱乎？

熙宁中，作坊以门巷委狭，请直而宽广之。神宗以太祖创始，当有远虑，不许。既而众工作苦，持兵夺门，欲出为乱，一老卒闭而拒之，遂不得出，捕之皆获。

神宗一日行后苑，见牧豭猪者，问：“何所用？”牧者曰：“自太祖来，常令畜。自稚养至大，则杀之，更养稚者。累朝不改，亦不知何用。”神宗命革之。月余，忽获妖人于禁中，索猪血浇之，仓卒不得，方悟祖宗远虑。

【译文】

北宋建立后不久，宋太祖对赵普说：“自从唐朝末年以来的几十年里，天下已经十次改朝换代，战乱不止，是什么原因呢？”赵普说：“由于藩镇太强，君王势弱而臣子势强。如今唯有稍微削弱他们的权势，限制他们的财物和粮食，取消他们的精锐部队，天下自然能安定。”赵普话还没说完，太祖就说：“不用再说，我已经明白了。”

不久，太祖和老朋友石守信等人一起喝酒，喝到尽兴之时，太祖屏退左右侍奉的人，说："如果没有你们的协助，我也没有办法到现在这种地步，我感念你们的恩德，实在是没有穷尽。然而做天子实在是太难了，真不如当节度使快乐。我现在每天晚上都睡不好觉。"石守信等人说："为什么？"太祖说："这不难明白。天子这个位子谁不想坐呢？"石守信等人都惶恐地叩头说："陛下何出此言？"太祖说："你们虽然没有这样的心思，但如果你们的部下要求富贵呢？一旦部下把黄袍强加在你们身上，你们想不做也不行！"石守信等人叩头哭道："我们这些愚蠢之辈没想到这些，希望陛下可怜我们，给我们一条生路。"太祖说："人生如白驹过隙，追求富贵不过是为了多得一些金钱，多一些享乐，使子孙不致贫困罢了。你们何不放下兵权，购买良田美宅，为子孙立下永久的基业。再多安排些歌舞美女，每天喝酒作乐一直到老。君臣之间也没有嫌隙，这样不是很好吗？"石守信等人一再拜谢说："陛下这样顾念我们，恩同再造。"第二天，这些人都宣称自己生病，请求解除自己的兵权。

评：有人说宋室的衰弱，是由于削夺藩镇的兵权导致的。其实藩镇强大，并非宋王朝的强大。强干弱枝才是立国的根本。从唐朝安史之乱两百年以来所累积的弊端，在谈笑之间就革除了。让整个宋王朝都没有强臣的隐患，难道不是偷天换日的高明手段吗？如果不是君臣上下苟且偷安，力主议和，那么寇准、李纲、赵鼎这些人用来对付北虏就绰绰有余了，哪里会衰弱呢？

宋神宗熙宁年间，皇室作坊的工人认为门巷弯曲狭窄，请求改直拓宽。神宗认为门巷是太祖创始的，必有远虑，不准许改建。后来，很多工人因为工作劳苦，心生背叛，拿着兵器想夺门而出。一个年老的兵卒关闭大门不让他们出来，他们竟都出不来，所有人就都被擒获。

有一天，神宗在后园里走着，看见有人养公猪，问："养这有什么用?”牧养的人说:“从太祖以来,就命令养公猪了。从小养到大,养大就杀了,再养小的。几代都没有改变,我也不知道有什么用。”神宗便下令取消了这件事。一个多月以后,宫内忽然捉到施放妖术的人,需要用猪血来浇他,以使其邪术失灵,仓促间居然找不到猪血,神宗这才领悟到祖宗的远虑。

## 5.徐达

【原文】

大将军达之蹙元帝于开平也,缺其围一角,使逸去。常开平怒亡大功,大将军言:“是虽一狄,然尝久帝天下,吾主上又何加焉?将裂地而封之乎,抑遂甘心也?既皆不可,则纵之固便。”开平且未然。及归报,上亦不罪。

评:省却了太祖许多计较。然大将军所以敢于纵之者,逆知圣德之弘故也。何以知之?于遥封顺帝、赦陈理为归命侯而不诛知之。

【译文】

明朝大将军徐达在开平围困元顺帝时,故意放开一个缺口,让顺帝逃走。常遇春很生气,认为他放走了立大功的机会。徐达说:“他虽是夷狄,然而曾经他却久居帝位,号令天下。如果真抓到了他,我们主上拿他怎么办才好?割块地来封他,还是杀了他以求甘心?既然两者都不可行,还是放了最好。”常遇春一时还不能同意他的看法,后来回京师禀报,太祖果然并不加罪。

评:徐达此举替明太祖省掉不少麻烦。然而徐达之所以敢私自这样做,是因他揣摩透了朱元璋的心理。徐达从哪里可以看出朱元璋的想法呢?是从当初朱元璋遥封元顺帝、赦免陈友谅的儿子陈理并封其为归命侯而不杀这两件事知道的。

## 6.契丹立君

【原文】

边帅遣种朴入奏:“得谍言,阿里骨已死,国人未知所立。契丹官赵纯忠者,谨信可任。愿乘其未定,以劲兵数千,拥纯忠入其国,立之。”众议如其请,苏颂曰:“事未可知,今越境立君,傥彼拒而不纳,得无损威重乎?徐观其变,俟其定而抚戢之,未晚也。”已而阿里骨果无恙。

【译文】

宋朝时守边元帅派遣种朴上朝禀奏:“我们得到情报说阿里骨已经死了,新的契丹王人选还没定。契丹官员赵纯忠为人谨慎诚信可以任用。希望趁他们局势未定之际,派遣数千名精兵,拥赵纯忠进入契丹,立为契丹王。”大家商议后同意这个想法,只有苏颂说:“真相如何还不知道,如今要越过国境去立契丹王,倘使他们拒绝不肯接纳,不是损害我国的威严吗?应该慢慢观察事态的演变,等到定局之后再去安抚他们不迟。”结果阿里骨果然没有死。

## 7.陈恕

【原文】

陈晋公为三司使,真宗命具中外钱谷大数以闻,恕诺而不进。久之,上屡趣之,恕终不进。上命执政诘之,恕曰:“天子富于春秋,若知府库之充羡,恐生侈心。”

评:李吉甫为相,撰《元和国计簿》上之,总计天下方镇、州、府、县户税实数，比天宝户税四分减三，天下仰给县官者八十二万余人，比天宝三分增一，其水旱所伤、非时调发者，不在此数，欲以感悟朝廷。大臣忧国深心类如此。

【译文】

宋朝陈晋公当三司使（盐铁使、度支使、户部使）时，真宗皇帝命他将中外钱谷的大略数目上报，陈恕只应诺却不呈献。过了很久，真宗一再催促，他还是不呈献。真宗命有关主管来问他，陈恕说："天子年纪还轻，如果知道府库充裕，恐怕会产生奢侈之心。"

评：唐朝李吉甫做宰相时，写了《元和国计簿》呈给宪宗，总计天下方镇、州、府、县户税的数目，比天宝年间减少了四分之三，天下由朝廷供养的人口有八十二万，比天宝年间多了三分之一，这还不包括水旱灾所受的损失、紧急情况下发放的数目，他希望以此使朝廷感悟。大臣忧国的深切之心大都如此。

## 8.李沆

【原文】

李沆为相，王旦参知政事，以西北用兵，或至旰食。旦叹曰："我辈安能坐致太平，得优游无事耶？"沆曰："少有忧勤，足为警戒。他日四方宁谧，朝廷未必无事。语曰：'外宁必有内忧。'譬人有疾，常在目前，则知忧而治之。沆死，子必为相，遽与虏和亲，一朝疆场无事，恐人主渐生侈心耳！"旦未以为然。

沆又日取四方水旱、盗贼及不孝恶逆之事奏闻，上为之变色，惨然不悦。旦以为："细事不足烦上听，且丞相每奏不美之事，拂上意。"沆曰："人主少年，当使知四方艰难，常怀忧惧。不然，血气方刚，不留意声色狗马，则土木、甲兵、祷祠之事作矣。吾老不及见，此参政他日之忧也！”

沆没后，真宗以契丹既和，西夏纳款，遂封岱、祠汾，大营宫殿，搜讲坠典，靡有暇日。旦亲见王钦若、丁谓等所为，欲谏，则业已同之，欲去，则上遇之厚，乃知沆先识之远，叹曰：“李文靖真圣人也！”

评：《左传》：晋、楚遇于鄢陵，范文子不欲战，曰：“唯圣人能内外无患。自非圣人，外宁必有内忧。盍释楚以为外惧乎？”厉公不听，战楚胜之。归益骄，任嬖臣胥童，诛戮三郤，遂见弑于匠丽。文靖语本此。

**【译文】**

宋真宗时李沆任宰相，王旦为参知政事（副宰相），因为西夏李继迁在西北入侵，政务繁忙以至废寝忘食。王旦感慨地说：“我们怎样才能悠闲无事、坐享太平呢？”李沆说：“稍有一些忧虑勤苦，才能警戒人心。将来如果四方都平定了，朝廷未必便无事。有句话说：‘外宁必有内忧。’就像人有疾病，常常发作，才知道忧虑而去诊治。我死后，你必当宰相，必定会与胡虏和亲，一旦疆埸无事，恐怕君王会慢慢产生奢侈之心。”王旦不以为然。

李沆又每天向宋真宗禀报各地水旱灾、盗贼及不孝作恶的坏事，真宗听了往往惨然变色，很不高兴。王旦认为：“这种琐碎的事不必让圣上烦心，而且丞相常常禀奏一些不好的消息，拂逆了皇帝的心意。”李沆说：“君主还年轻，应当让他知道各地艰难的情况，让他经常怀着忧虑警惕之心。不这样，血气方刚的皇帝就算不沉迷声色犬马，也可能大兴土木、战争、祭神之类的事。我老了，等不到那天了，这是你未来的忧虑啊！”

李沆死后，真宗认为契丹已经讲和，西夏也来纳款投降，于是他在泰山封禅祭祀，在汾水立祠祭神，大建宫殿，搜集恢复前代已废的典章礼仪，忙得不可开交。王旦亲眼看见王钦若、丁谓等人的所作所为，想规谏却已经变成同流，想辞官又想到皇帝如此厚遇他，便又不忍开口，此时王旦才知道李沆见识的深远，感叹道：“李文靖看事情那么长远，真是圣人啊！”

评：《左传》记载，晋国、楚国交战于鄢陵，范文子不想打这场仗，说：“只有圣人能达到内外无忧。既不是圣人，没有外患必有内忧，何不放过楚军，当作晋国的外患，使我们时时感到忧虑呢？”晋厉公不听，打败了楚国，回国后变得越来越骄侈，任用宠幸的胥童，杀死贤臣三郤（郤犫、郤锜、郤至），后来终于被匠丽所杀。李文靖所引的是范文子的话。

## 9.辞连署　辞密揭

【原文】

宪宗嘉崔群说直，命学士自今奏事必取群连署，然后进之。群曰：“翰林举动皆为故事。必如是，后来万一有阿媚之人为之长，则下位直言无自而进矣！”遂不奉诏。

上御文华殿，召刘大夏谕曰：“事有不可，每欲召卿商榷，又以非卿部内事而止。今后有当行当罢者，卿可以揭帖密进。”大夏对曰：“不敢。”上曰：“何也？”大夏曰：“先朝李孜省可为鉴戒。”上曰：“卿论国事，岂孜省营私害物者比乎？”大夏曰：“臣下以揭帖进，朝廷以揭帖行，是亦前代斜封、墨敕之类也。陛下所行，当远法帝王，近法祖宗，公是公非，与众共之，外付之府部，内咨之阁臣可也。如用揭帖，因循日久，视为常规。万一匪人冒居要职，亦以此行之，害可胜言。此甚非所以为后世法，臣不敢效顺。”上称善久之。

评：老成远虑，大率如此，由中无寸私、不贪权势故也。

【译文】

唐宪宗嘉许崔群正直无私，命令学士以后有事上奏，必须取得崔群的签名，才能呈上。崔群说："翰林的举动都将成为后代的事例，如果这样做，万一后来有阿谀谄媚的人当首长，那么在下位的直言者就不敢直言了。"于是崔群没有接受诏令。

明英宗亲临文华殿，召见刘大夏，告诉刘大夏说："朕偶尔有办不了的事，就想召你来商议，又因为不属于你兵部范围的事而打消了念头。今后有该实行、该罢黜的事，你可以直接以密件的形式呈上来。"刘大夏回答说："不敢。"英宗说："为什么？"刘大夏说："前人李孜省的事可以借鉴。"英宗说："你是为了议论国事，怎能与李孜省损人利己的行为相比呢？"刘大夏说："微臣上呈密件，朝廷推行密件，就像前代所行用墨笔书写的非正式诏令一样，容易让坏人钻空子。陛下的作为，应当效法古代英明的帝王，学习近代的祖宗，公事的是非，要和群臣公开讨论，对外的交给枢密院或兵部处理，对内的和大学士商量就可以了。如果用密件，时日一久视为常规，万一有心怀不轨之人冒居显要的职位，也实行这种方法，祸害不可胜言。这实在不能做后世的常法，微臣不敢照办。"英宗听了之后，连连称赞他。

评：老成人谋虑深远，大抵如此，这是由于他们胸中没有一点私心、不贪权势。

## 10.范仲淹

【原文】

劫盗张海将过高邮，知军晁仲约度不能御，谕军中富民出金帛牛酒迎劳之。事闻，朝廷大怒，富弼议欲诛仲约。仲淹曰：“郡县兵械足以战守，遇敌不御，而反赂之，法在必诛。今高邮无兵与械，且小民之情，醵出财物而免于杀掠，必喜。戮之，非法意也。”仁宗乃释之。弼愠曰：“方欲举法，而多方阻挠，何以整众！”仲淹密告之曰：“祖宗以来，未尝轻杀臣下。此盛德事，奈何欲轻坏之？他日手滑，恐吾辈亦未可保。”弼不谓然。及二人出按边，弼自河北还，及国门，不得入，未测朝廷意，比夜彷徨绕床，叹曰：“范六丈圣人也！”

【译文】

宋朝时，强盗张海即将率领部下进入高邮，知军晁仲约预料自己无法抵御，就昭示当地富有的人捐出金钱、牛羊、酒菜去欢迎慰劳贼兵。事情传到朝廷，朝廷十分震怒，富弼提议处死晁仲约。范仲淹说：“郡县的兵力足以应战或防守，遭遇贼兵不抵御，反而去贿赂，在法理上知军必须处死。然而当时实际情况是高邮兵力不足，根本没有办法抵抗或者防守；而且百姓的常情，只要捐出金钱食物就能避免杀戮抢劫，一定很高兴。如果杀了知军，就不符合朝廷立法的本意。”仁宗于是放过了知军。富弼生气地说：“我们正要弘扬法令，你却多方阻挠，这样如何治理百姓！”范仲淹私下告诉他说：“本朝开朝以来，未曾轻易处死臣下，这是一种美德，怎么可以轻易地破坏呢？假如皇上把杀官员当作常事，恐怕将来我们的性命也不可保了。”富弼颇不以为然。后来两人出巡边塞，富弼从河北回来，进不了国都的城门，又无法知道朝廷的心意，整夜彷徨于床边，感叹地说：“范仲淹真是圣人啊！”

## 11.王守仁

【原文】

阳明公既擒逆濠，江彬等始至，遂流言诬公，公绝不为意。初谒见，彬辈皆设席于旁，令公坐。公佯为不知，竟坐上席，而转旁席于下。彬辈遽出恶语，公以常行交际事体平气谕之，复有为公解者，乃止。公非争一坐也，恐一受节制，则事机皆将听彼而不可为矣。

【译文】

明朝时，王阳明捉到叛逆朱宸濠以后，江彬等人才到达。于是江彬散布谣言中伤阳明公，阳明公不以为意。初次见面，江彬等人把座位设在旁边，要阳明公坐。阳明公假装不明白，直接坐在上座上，而使其他人移位置于下首。江彬等人立即恶语相向，阳明公则以例行的交际礼仪，心平气和地晓谕他们，又有人为阳明公解释，江彬等人才平息。阳明公并不是争夺座位，只怕一旦受牵制，以后有事都要听他们指使，就无法有所作为了。

## 12.姚崇

【原文】

姚崇为灵武道大总管。张柬之等谋诛二张，崇适自屯所还，遂参密议，以功封梁县侯。武后迁上阳宫，中宗率百官问起居。五公相庆，崇独流涕。柬之等曰：“今岂流涕时耶？恐公祸由此始。”崇曰：“比与讨逆，不足为功，然事天后久，违旧主而泣，人臣终节也。由此获罪，甘心焉。”后五王被害，而崇独免。

评：武后迁，五公相庆，崇独流涕。董卓诛，百姓歌舞，邕独惊叹。事同而祸福相反者，武君而卓臣，崇公而邕私也。然惊叹者，平日感恩之真心；流涕者，一时免祸之权术。崇逆知三思犹在，后将噬脐，而无如五王之不听何也。吁，崇真智矣哉！

【译文】

唐朝姚崇当灵武道大总管时，张柬之等人计划杀武后宠幸的张易之、张昌宗二人。姚崇正好从屯驻处回京，于是参加了这次行动的密议，后来因功封为梁县侯。武后迁往上阳宫时，中宗率百官去请安。五王互相庆贺，只有姚崇流泪。张柬之等人说："现在哪里是流泪的时候呢？恐怕你会有灾祸临头。"姚崇说："和你们一起讨平叛逆，算不上什么功劳，然而服侍武后久了，因为要永远离开旧主而哭泣，是人臣应有的节义。如果因为这样而获罪，我心甘情愿。"后来五王被害，唯独姚崇幸免。

评：武后迁入上阳宫，五王互相庆贺，只有姚崇流泪。董卓被杀，百姓载歌载舞，只有蔡邕惊叹。事情相同而福祸却相反的原因，在于武后是君而董卓是臣，姚崇为公而蔡邕为私。然而惊叹的人是平日感恩的真心表现，流泪的人是一时免祸的权术。姚崇预知武三思（武后的侄子）还在朝，日后可能报复，不像五王那样不听劝告。唉，姚崇真聪明啊！

## 13.程琳

【原文】

程琳，字天球，为三司使日，议者患民税多名目［大麦纡绢䌷鞋线食盐钱］，恐吏为奸，欲除其名而合为一。琳曰："合为一而没其名，一时之便。后有兴利之臣，必复增之，是重困民也！”议者虽唯唯，然当时犹未知其言之为利，至蔡京行方田之法，尽并之，乃始思其言而咨嗟焉。

【译文】

宋朝人程琳，字天球，任三司使时，有人认为人民的捐税名目繁多［当时有大麦、织绢、紬鞋钱和食盐钱等名目］，恐官吏从中作假贪污，想除去繁多的名目合为一项。程琳说：“合为一项以除去繁多的名目，一时是很方便；可如果以后有喜欢兴利的官吏，必定会增加税目，这样会更加重人民的困苦。”主张合并税目的人虽然口头表示同意，心里却不认可这种看法。直到蔡京推行方田法，把所有税收合并为一，那人才想起程琳的话来，赞叹他想得深远。

# 通简卷三

【原文】

世本无事，庸人自扰。唯通则简，冰消日皎。集《通简》。

【译文】

世间本无事，庸人自扰之。只有通达的人，遇事才能化繁为简，就像太阳一出，自然化冰消雪。集此为《通简》卷。

## 1.唐文宗

【原文】

文宗将有事南郊，祀前，本司进相扑人。上曰："我方清斋，岂合观此事？"左右曰："旧例皆有，已在门外祗候。"上曰："此应是要赏物。可向外相扑了，即与赏物令去。"又尝观斗鸡，优人称叹："大好鸡！"上曰："鸡既好，便赐汝！"

评：既不好名，以扬前人之过，又不好戏，以开幸人之端，觉革弊纷更，尚属多事。此一节可称圣主。

【译文】

唐文宗将在京城南郊举行祭天仪式。祭祀前，有官员进献相扑艺人。文宗说："我正在清修斋戒，怎么适合观赏相扑之戏呢？"左右的人说："以往都有这种旧例，而且他们已经在宫门外等候了。"文宗说："这大概是要领取赏赐。让他们面向外表演一下，然后给他们赏赐，让他们离开。"又有一次观赏斗鸡，有优伶一直称赞鸡又大又好。文宗说："鸡既然这么好，就赏赐给你好了。”

评：唐文宗既不追求好声名，以显扬前人的过失，又不好嬉戏，而打开谄谀之人借机为非的端倪，观文宗之行事，便觉得为革除弊端而多次改革，尚且属于多事呢。就这一点而言，他称得上是圣明的君王。

## 2.宋太宗

**【原文】**

孔守正拜殿前都虞候。一日侍宴北园，守正大醉，与王荣论边功于驾前，忿争失仪。侍臣请以属吏，上弗许。明日俱诣殿廷请罪。上曰：“朕亦大醉，漫不复省。”

评：以狂药饮人，而责其勿乱，难矣。托之同醉，而朝廷之体不失，且彼亦未尝不知警也。

**【译文】**

孔守正担任殿前都虞候时，有一天，在北园侍候宋太宗宴饮，孔守正喝得大醉，与王荣在宋太宗面前议论边塞战功的事，一时因愤怒争吵而失态。左右侍臣请求把他们交付官吏处置，宋太宗不许。第二天，两人一起到殿廷请罪。宋太宗说：“朕也喝得大醉，不记得发生过什么事了。”

评：给人喝酒，而规定他不能乱性，很困难啊。假称一起喝醉，又不失朝廷的体统，而且他们也未尝不知道警醒。

## 3.曹参（二条）

**【原文】**

曹参被召，将行，属其后相：“以齐狱市为寄。”后相曰：

"治无大此者乎？"参曰："狱市所以并容也，今扰之，奸人何所容乎？"参既入相，一遵何约束，唯日夜饮醇酒，无所事事。宾客来者皆欲有言，至，则参辄饮以醇酒；间有言，又饮之，醉而后已，终莫能开说。惠帝怪参不治事，嘱其子中大夫窋私以意叩之。窋以休沐归，谏参。参怒，笞之二百。帝让参曰："与窋何治乎？乃者吾使谏君耳。"参免冠谢曰："陛下自察圣武孰与高帝？"上曰："朕安敢望先帝？"又曰："视臣能孰与萧何？"帝曰："君似不及也。"参曰："陛下言是也。高帝与何定天下，法令既明，今陛下垂拱，参等守职，遵而勿失，不亦可乎！"帝曰："君休矣。"

评：不是覆短，适以见长。

吏廨邻相国园。群吏日欢呼饮酒，声达于外。左右幸相国游园中，闻而治之。参闻，乃布席取酒，亦欢呼相应。左右乃不复言。

评：极绘太平之景，阴消近习之谗。

**【译文】**

曹参奉召入朝为相，准备出发时，嘱咐接替他官位的人说："要时刻挂记着齐国的刑狱和市井。"继任者问："官府治事，难道没有比这更重要的工作吗？"曹参说："监狱、市场都是容纳庶民的地方，如果管理不当，奸人容易为非作歹。"后来曹参当上宰相，一切事务都遵照萧何的旧规办理，自己则每天畅饮美酒，无所事事。宾客来拜访他，都想劝说他一番。但宾客一来，曹参就请他们喝酒，只要宾客想说话，曹参就又请他们喝酒，一直喝到他们酒醉为止，让他们始终没有机会说话。惠帝责怪曹参不管事，嘱咐曹参的儿子中大夫曹窋私下去问曹参是何用意。曹窋借休沐的时候回家，劝谏曹参。曹参很生气，打了曹窋两百鞭。惠帝责备曹参说："这件事和曹窋有什么关系？是我要他去劝你的。"曹参脱下冠冕谢罪说："陛下自己觉得，你与高祖皇帝相比，如何？”惠帝说：“我怎么比得上先帝？”曹参又说：“陛下看微臣的才能和萧何比较，如何？”惠帝说：“你好像不如他。”曹参说：“陛下说得很对。高祖皇帝和萧何定天下，法令已经非常清明，如今陛下以无事治理天下，参等谨守职务，遵循前规，不是很好吗？”惠帝说：“你不必再说了。”

评：这不是在掩饰自己的短处，而是在表现自己的长处。

相国属吏办公的官署和相国的花园相邻。群吏每天欢呼喝酒，声音传到隔壁。相府的侍卫希望相国能到花园里来游览，听见后管管他们。曹参听说了这件事，就在花园里摆酒设宴，饮酒欢呼，和隔壁的声音相应和，侍卫就不再说了。

评：极力铺陈太平时期的景象，暗地里又有减少近臣谗言的作用。

## 4.汉光武

【原文】

光武诛王郎，收文书，得吏人与郎交关谤毁者数千章。光武不省，会诸将烧之，曰：“令反侧子自安！”

评：宋桂阳王休范举兵浔阳，萧道成击斩之。而众贼不知，尚破台军而进。宫中传言休范已在新亭，士庶惶惑，诣垒投名者以千数。及至，乃道成也。道成随得辄烧之，登城谓曰：“刘休范父子已戮死，尸在南冈下。我是萧平南，汝等名字，皆已焚烧，勿惧也！”亦是祖光武之智。

【译文】

光武帝处死王郎后，收集有关文书，得到官吏豪强与王郎串通而诋毁光武帝的文书好几千份。光武帝没有看这些文书，并集合手下诸将，将其当面烧毁，说：“心怀二心的人从此可以睡得好了！”

评：南朝刘宋之桂阳王刘休范在浔阳城起兵造反，被萧道成所杀，而刘休范的兵众不知情，还向官军攻击。宫中谣传刘休范已攻到新亭，士大夫和百姓都惶恐不安，到军营来报姓名投效的有上千人。等到大军抵达城下，才知道是萧道成。萧道成接到名册就烧掉了，并登上城楼城对民众们说："刘休范父子已经被杀，尸体在南山下。我是萧平南，你们的名字都烧了，不必害怕。"这也是效法汉光武的智计。

## 5.诸葛孔明

【原文】

丞相既平南中，皆即其渠率而用之。或谏曰："公天威所加，南人率服。然夷情叵测，今日服，明日复叛，宜乘其来降，立汉官分统其众，使归约束，渐染政教。十年之内，辫首可化为编氓，此上计也！"公曰："若立汉官，则当留兵；兵留则口无所食，一不易也。夷新伤破，父兄死丧，立汉官而无兵者，必成祸患，二不易也。又夷累有废杀之罪，自嫌衅重，若立汉官，终不相信，三不易也。今吾不留兵，不运粮，纲纪粗定，夷汉相安。"

评：《晋史》：桓温伐蜀，诸葛孔明小史犹存，时年一百七十岁。温问曰："诸葛公有何过人？"史对曰："亦未有过人处。"温便有自矜之色。史良久曰："但自诸葛公以后，更未见有妥当如公者。"温乃惭服。凡事只难得"妥当"，此二字，是孔明知己。

【译文】

蜀丞相诸葛亮平定南中之后，就地任用他们的首领为官。有人规劝道："丞相威震四方，蛮夷都已臣服。然而蛮夷的民情难以预测，今天顺服，明天又叛变，应该趁他们降伏之际，设立汉人官吏来治理这些蛮人，使他们渐渐接受汉人的政令教化。十年之内，夷狄就可以化为良民，这才是最好的计策。”诸葛亮说：“如果设立汉人官吏，就需要留下军队，军队留下来却没有粮食，是一不易；他们刚经历战乱，父兄死了，设立汉人官吏而没有军队防守，必然引起祸患，是二不易；夷人经常有废掉、更换酋长的事情，他们自己之间就有颇多嫌隙，设立汉人官吏，更不能取信于土著，是三不易。现在我不留军队，不必运粮食，而纲纪也大略订立，使夷、汉之间能相安无事，就已足够了。”

评：《晋史》记载，桓温伐蜀的时候，诸葛孔明当年的小史官还活着，当时已经有一百七十岁了。桓温问他：“诸葛公有什么过人之处？”史官回答说：“没有什么过人之处。”桓温便面带骄傲之色。过了很久，史官又说：“但是从诸葛公以后，便没有见过像他那般妥当的人了。”桓温于是惭愧不已，心服口服。凡事只难得“妥当”，这两个字，真是孔明的知己。

## 6.龚遂

【原文】

宣帝时，渤海左右郡岁饥，盗起，二千石不能制。上选能治者，丞相、御史举龚遂可用，上以为渤海太守。时遂年七十岁，召见，形貌短小，不副所闻。上心轻之，问：“息盗何策？”遂对曰：“海濒辽远，不沾圣化，其民困于饥寒而吏不恤，故使陛下赤子盗弄陛下之兵于潢池中耳。今欲使臣胜之耶，将安之也？”上改容曰：“选用贤良，固将安之。”遂曰：“臣闻治乱民如治乱绳，不可急也，臣愿丞相、御史且无拘臣以文法，得一切便宜从事。”上许焉，遣乘传至渤海界。郡闻新太守至，发兵以迎。遂皆遣还，移书敕属县：悉罢逐捕盗贼吏，诸持钽、钩、田器者皆为良民，吏毋得问，持兵者乃为盗贼。遂单车独行至府。盗贼闻遂教令，即时解散，弃其兵弩而持钩、钽。

评：汉制，太守皆专制一郡，生杀在手，而龚遂犹云“愿丞相、御史无拘臣以文法”。况后世十羊九牧，欲冀卓异之政，能乎？古之良吏，化有事为无事，化大事为小事，蕲于为朝廷安民而已。今则不然，无事弄做有事，小事弄做大事，事生不以为罪，事定反以为功，人心沓沓思乱，谁之过与！

【译文】

汉宣帝时，渤海及附近各郡闹饥荒，盗贼四起，太守不能制止。宣帝要选一个能胜任的人，丞相、御史推荐了龚遂，皇帝任命龚遂为渤海太守。当时龚遂已经七十岁，宣帝召见他，见他身材短小，不如传闻的威武，心生轻视，于是问他：“用什么方法可平息盗贼？”龚遂答：“渤海郡地处偏远，没有沾沐圣上的恩惠教化，那里的百姓为饥寒所迫，地方官不知加以救济，致使您的子民拿着您的兵器在水池边耍弄。您希望我剿灭他们，还是安抚他们？”宣帝听后脸色好转，说道：“选用贤良人才，自然是想要安抚他们。”龚遂说：“微臣听说管理乱民好似整理乱绳，不可心急。希望丞相、御史暂且不要以条文法令来约束微臣，使微臣可以不用请示，看情形便宜行事。”宣帝答应了他。于是龚遂坐着四匹下等马拉的驿车到了渤海边。郡吏听说新太守来到，带兵相迎。龚遂让他们都回去，并命令所属的县：撤除专管追捕盗贼的官吏，手拿农具的人都是良民，官吏不得对他们问罪，手拿兵器的人才是盗贼。然后龚遂独自乘车到郡府。盗贼听到龚遂的教令，立即解散，抛弃兵器，改持锄头等耕田器具。

评：汉制为太守独自掌管一郡政事，生杀之权在握，而龚遂还说，“希望丞相、御史不要以条文法令来约束微臣”，不像后世民少官多，还能冀望有卓越的政绩吗？

古代的优秀的官吏，化有事为无事，化大事为小事，只求为朝廷安抚百姓而已。如今却不是这样，无事弄得有事，小事弄成大事，弄出事情不认为有罪，事情平定后反而认为有功，人心蠢蠢欲动，拼命想要造反，这是谁的过错呢？

## 7.徐敬业

**【原文】**

高宗时，蛮群聚为寇，讨之则不利，乃以徐敬业为刺史。彼州发卒郊迎，敬业尽令还，单骑至府。贼闻新刺史至，皆缮理以待。敬业一无所问，处分他事毕，方曰：“贼皆安在？”曰：“在南岸。”乃从一二佐吏而往，观者莫不骇愕。贼初持兵觇望，及其船中无所有，乃更闭营藏隐。敬业直入其营内，告云：“国家知汝等为贪吏所苦，非有他恶，可悉归田，后去者为贼。”唯召其魁首，责以不早降，各杖数十而遣之，境内肃然。其祖英公闻之，壮其胆略，曰：“吾不办此。然破我家者，必此儿也！”

**【译文】**

唐高宗时，蛮群聚集为寇，朝廷出兵讨伐失败，于是任命徐敬业为刺史。彼州发兵到郊外迎接，徐敬业命令他们都回去，独自骑马来到郡府。贼寇听说新刺史到了，都严阵以待。徐敬业一概不问，等处理过别的事以后，才说：“贼兵在哪里？”有人回答说：“在南岸。”徐敬业便带着两个助理官吏前去，旁观的人无不惊惧万分。贼兵起初整兵偷偷观望，后来看见船里空无所有，就关起营门躲起来。徐敬业直接进入贼营，告诉他们说：“国家知道你们是被贪污官吏所害，没有其他罪过，都可以回田里去，最后离开的人就真正是贼寇了。”徐敬业只把贼寇首领召集起来，责备他不早点投降，各自打了他们数十板子，就遣送他们回家去了。从此徐敬业管辖境内一片安宁。他的祖父英国公李勣听到这件事，对他的胆识亦喜亦忧，说：“我从不这么冒险做事。然而将来败坏我们家的，一定是这个孩子。”

## 8.朱博（二条）

【原文】

博本武吏，不更文法；及为冀州刺史，行部，吏民数百人遮道自言，官寺尽满。从事白请“且留此县，录见诸自言者，事毕乃发”，欲以观试博。博心知之，告外趣驾。既白驾办，博出就车，见自言者，使从事明敕告吏民：“欲言县丞尉者，刺史不察黄绶，各自诣郡。欲言二千石墨绶长吏者，使者行部还，诣治所。其民为吏所冤，及言盗贼辟讼事，各使属其部从事。”博驻车决遣，四五百人皆罢去，如神。吏民大惊，不意博应事变乃至于此。后博徐问，果老从事教民聚会，博杀此吏。

博为左冯翊。有长陵大姓尚方禁，少时尝盗人妻，见斫，创着其颊。府功曹受贿，白除禁调守尉。博闻知，以他事召见，视其面，果有瘢。博辟左右问禁：“是何等创也？”禁自知情得，叩头服状。博笑曰：“大丈夫固时有是。冯翊欲洒卿耻，能自效不？”禁且喜且惧，对曰：“必死！”博因敕禁：“毋得泄语，有便宜，辄记言。”因亲信之，以为耳目。禁晨夜发起部中盗贼及他伏奸，有功效。

博擢禁连守县令。久之，召见功曹，闭阁数责以禁等事，与笔札，使自记，“积受一钱以上，无得有匿，欺谩半言，断头矣！”功曹惶怖，且自疏奸赃，大小不敢隐。博知其实，乃令就席，受敕自改而已。投刀使削所记，遣出就职。功曹后常战栗，不敢蹉跌。博遂成就之。

【译文】

汉朝人朱博本来是武官，不熟悉法律条文。后来他任冀州刺史巡视部属时，官吏和百姓几百人拦路自行投诉，官署都满了。从事史请求说，“暂时留在这个县，接见那些投诉的人，事情办完了再出发”，他想要以此来观察试探朱博。朱博心里明白，告诉侍从赶紧准备车马。等下人禀告车马准备停当后，朱博就去会见自行投诉的人，并派遣从事史明确地告谕官吏百姓：“想要投诉县里丞尉的，刺史不监察佩戴黄色绶带（官俸二百石）的官员，各人自己到郡里去投诉。想要投诉二千石的墨绶长吏的，等使者巡视部属回来，到刺史的官署去投诉。百姓被官吏所冤枉，以及投诉强盗小偷诉讼之事的，要到各自所属的部从事那里去投诉。”朱博停车裁决，四五百人一下子都神速离去。吏民大惊，想不到朱博应变事情的能力如此强。后来朱博慢慢查问，果然是一个老从事史教唆百姓集会，朱博就杀了这个官吏。

朱博任左冯翊（京师统辖的官）时，长陵县有个豪强尚方禁，年轻时曾私通别人的妻室，被处罚，痕迹还留在脸上。功曹（郡府的属吏）受贿，告诉朱博，请让尚方禁担任守尉。朱博知道以后，就以其他事由召见他，见他脸上果然有斑痕，朱博遂屏退左右的人，问他道：“这是什么伤？”尚方禁心知自己的事情无法隐瞒，就叩头说明。朱博笑着说：“大丈夫一时犯错也是有的。现在我想为你洗清这个耻辱，你愿意为我效力吗？”尚方禁又喜又惧，回答说：“一定尽死报效大人。”于是朱博命令尚方禁："不可泄漏这件事，看见该报告的事就记下来。"此后就视他为亲信耳目。尚方禁每天早晚都会揭发一些盗贼及奸细，功效显著，朱博就升他为连守县令。过了很久，朱博召见功曹，关起门来责备他有关接受尚方禁贿赂的事，给他笔记让他自己记录接受的贿赂，"一文钱都不能隐匿，只要有一点欺瞒就砍头"。功曹十分惶恐，老老实实记下受贿的事，一点都不敢遗漏。朱博了解实情后，就当场命令他改过自新，并拔刀削毁刚才的记录，让他回去就任原职。功曹后来行事谨慎，不敢犯半点错误。朱博于是提拔了他。

## 9.蒲宗孟

【原文】

贼依梁山泺，县官有用长梯窥蒲苇间者。蒲恭敏知郓州，下令禁"毋得乘小舟出入泺中"。贼既绝食，遂散去。

【译文】

宋朝时，盗贼据守于山东梁山泺，县官之中有和盗匪声气相通的人。蒲宗孟任郓州知州时，下令"禁止人乘小船出入梁山泺"。盗贼断绝了粮食，遂各自散去。

## 10.王敬则

【原文】

敬则为吴兴太守。郡旧多剽掠，敬则录得一偷，召其亲属于前，鞭之数十，使之长扫街路，久之，乃令举旧偷自代。诸偷恐为所识，皆逃走，境内以清。

评：辱及亲属，亲属亦不能容偷矣。唯偷知偷，举偷自代，胜用缉捕人多多矣！

【译文】

南齐人王敬则任吴兴太守时，郡中一直有很多抢夺偷窃的事。一天，王敬则抓到一名小偷，召集他的亲属前来，当着他们的面打了他数十鞭，又派他长时间打扫街道。过了很久，又让他检举以前的小偷来顶替自己扫街，其他的小偷害怕被他认出来，都逃走了，境内因而得到清静。

评：羞辱到亲属，亲属也不能容忍他继续当小偷。只有小偷才知道谁是小偷，要他举人出来顶替自己，比用捕快的效果好太多了！

## 11.张辽

【原文】

张辽受曹公命屯长社，临发，军中有谋反者，夜惊乱，火起，一军尽扰。辽谓左右曰："勿动！是不一营尽反，必有造变者，欲以动乱人耳。"乃令军中曰："不反者安坐！"辽将亲兵数十人中阵而立。有顷，即得首谋者，杀之。

评：周亚夫将兵讨七国。军中尝夜惊，亚夫坚卧不起，顷之自定。吴汉为大司马，尝有寇夜攻汉营，军中惊扰，汉坚卧不动。军中闻汉不动，皆还按部。汉乃选精兵夜击，大破之。此皆以静制动之术，然非纪律素严，虽欲不动，不可得也。

【译文】

张辽受曹操之命领兵驻扎长社县，临出发时，军队中有人谋反，在夜里纵火作乱，全军都惊乱不已。张辽对身边的将领说："不要轻举妄动，这肯定不是全营造反，必定是叛变的人想以此来扰人视听而已！”他向军营中下达号令：“凡没有参加叛乱者安稳坐好不要乱动！”然后张辽亲自率领数十名亲兵站立于军阵中。不久，果然捉到带头谋反的人，将他处死。

评：汉朝周亚夫率兵讨伐七国之乱，一天晚上军营中发生夜惊。周亚夫安稳地躺在床上不起身，不久惊扰就自然平定了。吴汉任大司马时，曾经有贼寇半夜攻击他的军营，军中受到惊扰。吴汉也是卧床不起。军中士卒听说大司马都没起床，也都各回自己的岗位。吴汉这才挑选精兵，半夜出击，大破贼寇。这些都是以静制动的策略。然而，如果不是军纪一向严明，即使想让士兵不乱动，也做不到。

## 12.李封

【原文】

唐李封为延陵令，吏人有罪，不加杖罚，但令裹碧头巾以辱之，随所犯轻重以日数为等级，日满乃释。着此服出入者以为大耻，皆相劝励，无敢犯。赋税常先诸县。竟去官，不捶一人。

【译文】

唐朝时，李封任延陵县令时，官吏或老百姓犯罪，不罚以杖刑，只命令他包着绿头巾来羞辱他，并依犯罪的轻重，决定戴绿头巾日数的多寡，期限满后才拿下来。凡是包着绿头巾出入的人，都认为这是很大的耻辱，大家互相劝勉，不敢再犯罪，赋税也先于其他各县完成。直到辞去官职，李封不曾打杀过一个人。

## 13.裴晋公

【原文】

公在中书，左右忽白以失印。公怡然，戒勿言，方张宴举乐，人不晓其故。夜半宴酣，左右复白印存，公亦不答，极欢而罢。人问其故，公曰："胥吏辈盗印书券，缓之则复还故处，急之则投水火，不可复得矣！"

评：不是矫情镇物，真是透顶光明，故曰"智量"，智不足，量不大。

【译文】

唐朝裴晋公任职中书省时，有一天部下忽然告诉他印信丢失了，裴公脸色不变，并告诫他们不要声张。当时他正在宴客观赏歌舞表演，外人不明白其中的原因。半夜酒饮得畅快时，部下又告诉他印信找到了，裴公也不应声，宴会尽欢而散。有人问他是什么缘故，裴公说："手下的小官盗印去书写契券，写完就会放回原处，追查得急了，他就可能把印扔在河里，或投入火中，就再也回不来了。"

评：这不是故作安闲以示镇静，实在是聪明透顶。所以说"智量"，智慧不足，度量也不会大。

# 迎刃卷四

【原文】

危峦前厄，洪波后沸。人皆棘手，我独掉臂。动于万全，出于不意。游刃有余，庖丁之技。集《迎刃》。

【译文】

前有险峰阨路，后有狂涛逼来。人人都感棘手，我却等闲视之。掌握全局而动，一动就出其不意。游刃有余，如庖丁解牛。集此为《迎刃》卷。

## 1.子产

【原文】

郑良霄既诛，国人相惊，或梦伯有［良霄字］介而行，曰："壬子余将杀带，明年壬寅余又将杀段！"驷带及公孙段果如期卒，国人益大惧。子产立公孙泄［泄，子孔子，孔前见诛］及良止［良霄子］以抚之，乃止。子太叔问其故，子产曰："鬼有所归，乃不为厉。吾为之归也。"太叔曰："公孙何为？"子产曰："说也。"［以厉故立后，非正，故并立泄，比于继绝之义，以解说于民。］

评：不但通于人鬼之故，尤妙在立泄一着。鬼道而人行之，真能务民义而不惑于鬼神者矣。

【译文】

春秋时，郑国大夫良霄因专权，被驷带、公孙段等诸大夫群起诛杀后，变为厉鬼，全国人都极为恐惧。有人梦见良霄披甲而行，说道："壬子那一天我将杀驷带（帮助子晰杀良霄的人），明年壬寅日，我又将杀公孙段（偏袒驷氏的人）。"驷带及公孙段果然如期死亡，全国人更加恐惧。子产于是立公孙泄［公孙泄，是子孔的儿子，子孔先前被郑所杀］及良止［良霄的儿子］为大夫，来安抚良霄及子孔，厉鬼从此不再出现。太叔问他为何有如此举措，子产说："鬼要有所归宿，才不会作祟，我立他们的后代，使他们有所归宿。"太叔说："为什么要立公孙泄呢，子孔并未成为厉鬼呀？"子产说："是为了向人民解说存亡继绝的原因。"［因为变成厉鬼才立其后代，并非正道，所以同时也立公孙泄，而用"继绝"之义为借口，向百姓进行解说。］

评：子产不但通达人鬼之间的事故，更妙的是立公孙泄这一着。鬼道由人来实行，真能全力为民而又不迷信鬼神！

## 2.田叔

【原文】

梁孝王使人刺杀故相袁盎。景帝召田叔案梁。具得其事，乃悉烧狱词，空手还报。上曰："梁有之乎？"对曰："有之。""事安在？"叔曰："焚之矣。"上怒，叔从容进曰："上无以梁事为也。"上曰："何也？"曰："今梁王不伏诛，是汉法不行也。如其伏法，而太后食不甘味，卧不安席，此忧在陛下也。"于是上大贤之，以为鲁相。

叔为鲁相，民讼王取其财物者百余人。叔取其渠率二十人，各笞二十，余各搏二十，怒之曰："王非汝主耶？何敢言！"鲁王闻之，大惭，发中府钱，使相偿之。相复曰："王使人自偿之；不尔，是王为恶而相为善也。"又王好猎，相常从，王辄休相出就馆舍。相出，常暴坐待王苑外。王数使人请相休，终不休，曰：“我王暴露，我独何为就舍？”王以故不大出游。

评：洛阳人有相仇者，邑中贤豪居间以十数，终不听。往见郭解，解夜见仇家，仇家曲听解。解谓曰：“吾闻洛阳诸公居间，都不听。今子幸听解，解奈何从他邑夺贤士大夫权乎？”径夜去，属曰：“俟我去，令洛阳豪居间。”事与田叔发中府钱类。王祥事继母至孝。母私其子览而酷待祥。览谏不听，每有所虐使，览辄与祥俱，饮食必共。母感动，均爱焉。事与田叔暴坐待王类。

【译文】

梁孝王派人刺杀以前的丞相袁盎。汉景帝令田叔去调查梁孝王，田叔把事情查清楚后，烧掉所有的资料，空着手回来向汉景帝报告。景帝说：“梁孝王有派人暗杀袁盎吗？”田叔回答：“有。”“供词在哪里？”田叔说：“烧了。”景帝很生气，田叔从容地说：“皇上不必查办梁孝王的事。”“为什么？”田叔说：“现在不杀梁孝王，汉朝的法律就无法施行；如果杀了梁孝王，皇太后会吃不好饭，睡不好觉，那时陛下就要担忧了。”景帝因此认为田叔十分贤良，让他做了鲁国的丞相。

田叔任鲁相后，有一百多个百姓控诉鲁王夺取他们的财物，田叔拿下为首的二十人，各鞭笞了二十下，其余人各打了二十下，很生气地说：“王不是你们的君主吗？为何敢说他的不是！”鲁王听说了这件事后，大感惭愧，拿出了府中所藏之钱，让丞相给百姓赔偿。丞相回答道：“大王，您自己找人赔偿吧，不然的话，是大王做恶事而丞相做善事了啊。”鲁王还喜欢打猎，田叔常常随行。鲁王总是让丞相离开馆舍回去休息，丞相出去以后，常常露天坐在鲁王的苑圃外等候。鲁王屡次派人请他进馆休息，田叔始终不肯回去休息，说：“大王暴露于野外，我怎么可以进馆舍休息？”鲁王从此就不大出游打猎。

评：洛阳有人互相仇视，城中贤能的人居间调解数十次，那人都不听从。有人去请郭解，请他从中协调。郭解于是在夜中去互相仇视的人家中劝谏，这些人都勉强听从了郭解的意见。郭解对他们说："我听说洛阳的贤达之人从中调解，你们都不听从。今天诸位给我面子听从了我的劝告，可我又怎能从别的城邑中夺取当地贤士调停的事呢？"于是当夜就离去，临走时嘱咐说："等我离去，再让洛阳的贤士去居间调解一下。"这件事和田叔处理王府的钱相类似。王祥侍奉继母非常孝顺，但是继母偏袒自己亲生儿子王览而虐待王祥。王览屡次劝谏母亲而母亲都不听，于是凡有虐待王祥的事，王览就一同接受，患难与共。继母后来深受感动，于是对王祥与王览同等爱护。这件事与田叔坐在野外等待鲁王相类似。

## 3.主父偃

【原文】

汉患诸侯强，主父偃谋令诸侯以私恩自裂地，分其子弟，而汉为定其封号；汉有厚恩而诸侯渐自分析弱小云。

【译文】

汉朝王室忧虑诸侯势力过于强大，主父偃主张让诸侯将土地分封给自己的子弟，而由朝廷定其封号；这样一来，朝廷对诸侯们的厚恩更加浓了，而诸侯的势力则由于分割土地而逐渐弱小了。

## 4.裴光庭

【原文】

张说以大驾东巡，恐突厥乘间入寇，议加兵备边，召兵部郎中裴光庭谋之。光庭曰：“封禅，告成功也。今将升中于天而戎狄是惧，非所以昭盛德也。”说曰：“如之何？”光庭曰：“四夷之中，突厥为大，比屡求和亲，而朝廷羁縻未决许也。今遣一使，征其大臣从封泰山，彼必欣然承命。突厥来，则戎狄君长无不皆来，可以偃旗卧鼓，高枕有余矣！”说曰：“善！吾所不及。”即奏行之，遣使谕突厥，突厥乃遣大臣阿史德颉利发入贡，因扈从东巡。

【译文】

唐玄宗年间，张说考虑到皇上要巡视东方，害怕突厥乘机入侵，建议增加警备以防边境不测，于是便请兵部侍郎裴光庭前来商议。裴光庭说：“天子封禅，是向天下人表明治国的成功。现在却在成功之时害怕突厥的侵犯，这不能显示我大唐的强盛和功德。”张说说：“那该怎么办？”裴光庭说：“四夷之中，突厥最强大，突厥屡次要求和亲，而朝廷一直迟疑没有同意。现在如果派一个使者，去请突厥的大臣跟皇上一起去泰山封禅，他们一定欣然受命。突厥大臣来了，其他戎狄的君长没有不跟着来的，如此就可以不必备战，高枕无忧了。”张说说：“很好！我不如你考虑得周到。”就奏请皇帝派使者去通告突厥，突厥派大臣阿史德颉利发入贡，因而跟随天子东巡。

## 5.崔祐甫

【原文】

德宗即位，淄青节度李正己表献钱三十万缗。上欲受，恐见欺；却之，则无词。宰相崔祐甫请遣使慰劳淄青将士，因以正己所献钱赐之，使将士人人戴上恩，诸道知朝廷不重财货。上从之，正己大惭服。

神策军使王驾鹤，久典禁兵，权震中外。德宗将代之，惧其变，以问崔祐甫。祐甫曰："是无足虑。"即召驾鹤，留语移时，而代者白志贞已入军中矣。

【译文】

唐德宗即位之后，淄青节度使李正己（高丽人）上表献钱三十万缗。德宗想接受又怕受骗，想推辞又没有理由。宰相崔祐甫奏请德宗派使者去慰劳淄青的将士，借此将李正己所献的钱赏赐给将士们，使将士们都感激皇帝的恩德，也使各道（行政区）知道朝廷不看重财货。德宗依此行事，李正己因而感到惭愧心服。

神策军（唐朝禁军）使王驾鹤担任禁军首领很长时间了，权势之大令人震惊。唐德宗想派人取代他的职位，又怕他叛乱，因而问崔祐甫怎么办。崔祐甫说："这件事不值得忧虑。"崔祐甫就请王驾鹤前来谈话，谈了两三个小时。这段时间，取代王驾鹤的白志贞已进入军中了。

## 6. 王旦（二条）

【原文】

马军副都指挥使张旻，被旨选兵，下令太峻，兵惧，谋为变。上召二府议之。王旦曰："若罪旻，则自今帅臣何以御众？急捕谋者，则震惊都邑。陛下数欲任旻以枢密，今若擢用，使解兵柄，反侧者当自安矣。"上谓左右曰："旦善处大事，真宰相也！"

评：借一转以存帅臣之体，而徐议其去留，原非私一旻也。

契丹奏请岁给外别假钱币，真宗以示王旦。公曰："东封甚迫，车驾将出，以此探朝廷之意耳。可于岁给三十万物内各借三万，仍谕次年额内除之。”契丹得之大惭。次年复下有司：“契丹所借金帛六万，事属微末，仰依常数与之，今后永不为例。”

评：不借则违其意，徒借又无其名，借而不除则以塞侥幸之望，借而必除又无以明中国之大，如是处分方妥。

西夏赵德明求粮万斛。王旦请敕有司具粟百万于京师，而诏德明来取。德明大惭，曰：“朝廷有人。”乃止。

【译文】

宋朝时，马军副都指挥使张旻奉旨选兵，下令太严厉，士卒十分恐惧，想要谋反。皇帝召吏部、兵部的大臣来商议。王旦说：“如果怪罪张旻，那么今后将帅如何指挥士兵？如果立刻捉捕谋反的人，则会震惊全城，可能激发动乱。陛下屡次想任命张旻为枢密使，现在利用这个机会任用他，同时也可以除去他的兵权，想谋反的士卒自然就安心了。”皇帝对身边的人说：“王旦善于处理大事，真是做宰相的人才。”

评：王旦借转任之事保存了对将帅应有的礼制，再缓缓商议他的去留，并不是对张旻一人的偏私。

契丹奏请朝廷每年除了赠物再增加赠送钱币，真宗于是问王旦的意见。王旦说：“皇上东巡封禅的日子已近，车驾即将出发，他们是想利用这件事来刺探朝廷的意向。皇上可以在每年的赠物三十万内再借三万钱给契丹，告诉他们在第二年的赠额中扣除。”契丹得到这笔钱后反而觉得丢脸。次年，真宗又命令有关官吏，去年契丹所借的钱数目微小，仍依往常的数目赠送不必扣除，但下不为例。

评：不借会违逆契丹的心意；借又没有名目；借而不扣还，就无法堵塞侥幸者的欲望；借而必须扣还，又无法显示中国的宽宏大量。这样处理最为妥当。

西夏赵德明要求粮食一百万斛，王旦奏请皇帝下令有关官吏准备百万斛粟米于京师，而请赵德明自己来取。赵德明感到很丢脸，说："朝廷中必有贤人。"于是打消了这个念头。

## 7.严可求

【原文】

烈祖辅吴，四方多垒，虽一骑一卒，必加姑息。然群校多从禽，聚饮近野，或骚扰民庶。上欲纠之以法，而方借其材力，思得酌中之计，问于严求。求曰："无烦绳之，易绝耳。请敕泰兴、海盐诸县，罢采鹰鹯，可不令而止。"烈祖从其计，期月之间，禁校无复游墟落者。

【译文】

南唐烈祖李昪辅政吴国（五代十国之一）时，四方边境兵员充斥，虽是一骑一卒也要多加姑息。然而很多军官经常放鹰猎捕禽兽，在近郊聚众饮酒作乐，或骚扰民众。吴王想用法令来纠正他们，但是烈祖正需借重他们的能力，想不出两全其美的方法，就问严可求。严可求说："无须用法绳之，很容易断绝此事。请命令泰兴、海盐各县停止采购鹰鹯等禽兽，自然就能遏止这种事。"烈祖依计而行，一个月之间，军官再也没有人去游猎了。

## 8.陈平

【原文】

燕王卢绾反，高帝使樊哙以相国将兵击之。既行，人有短恶哙者，高帝怒，曰："哙见吾病，乃几吾死也！"用陈平计，召绛侯周勃受诏床下，曰："平乘驰传载勃代哙将。平至军中，即斩哙头！"二人既受诏行，私计曰："樊哙，帝之故人，功多，又吕后女弟女媭夫，有亲且贵。帝以忿怒故欲斩之，即恐后悔，宁囚而致上，令上自诛之。"平至军，为坛，以节召樊哙。哙受诏节，即反接载槛车诣长安，而令周勃代，将兵定燕。平行，闻高帝崩，平恐吕后及吕媭怒，乃驰传先去。逢使者，诏平与灌婴屯于荥阳。平受诏，立复驰至宫，哭殊悲，因奏事丧前。吕太后哀之，曰："君出休矣！"平因固请得宿卫中，太后乃以为郎中令，曰："傅教帝。"是后吕媭谗乃不得行。

评：谗祸一也，度近之足以杜其谋，则为陈平；度远之足以消其忌，则又为刘琦。宜近而远，宜远而近，皆速祸之道也。

刘表爱少子琮，琦惧祸，谋于诸葛亮，亮不应。一日相与登楼，去梯，琦曰："今日出君之口，入吾之耳，尚未可以教琦耶？"亮曰："子不闻申生在内而危，重耳在外而安乎？"琦悟，自请出守江夏。

【译文】

燕王卢绾造反，汉高祖正在生病，派樊哙以相国的身份出兵讨伐。出发之后，有人说樊哙的坏话。高祖很生气地说："樊哙见我病重，希望我快点死。"就用陈平的计策，召绛侯周勃在床前接受诏命："陈平你和周勃即刻乘四匹中等马拉的驿车到军中，斩樊哙的头，由周勃代替樊哙的职位。"二人受命而行，私下商量说："樊哙是皇上的老臣，立功多，又是吕后妹妹吕媭的丈夫，关系亲密。皇上一时愤怒而想杀他，恐怕以后会后悔。不如把他捉来交给皇上，让皇上自己去杀。"二人尚未到军中，就先筑坛，再以圣旨召樊哙。樊哙受命而来，陈平就用囚车将他送到长安，而令周勃代理军事，率兵平定燕王。陈平在路上听说高祖崩逝，怕吕后及吕媭生气，就派人紧急到宫中报告樊哙的事。其后遇到使者传诏令，命陈平与灌婴屯兵荥阳。

陈平接到命令，立刻亲自赶到宫中，哭得特别伤心，并把事情经过在灵前禀奏吕后。吕太后可怜他，说：“你出去的这件事就算了！”陈平乘机坚持请求太后让他任住宿宫中的护卫一职，于是太后任命他为郎中令，负责掌管宫殿护卫。太后说：“你还要教导、辅佐皇帝。”但此后因吕媭的谗言而未能这样执行。

评：同样是遭到谗言的祸害，衡量眼前的情况足以杜绝别人的阴谋，这是陈平的做法；衡量未来的进展足以消弭别人的猜忌，这是刘琦（刘表的儿子）的做法。该近而远，该远而近，都会加速祸害的降临。

刘表喜爱小儿子刘琮，长子刘琦怕自己有祸临身，便找诸葛亮商量，诸葛亮没有答复他。有一天，两人一起登楼。上楼之后，刘琦让人拿掉梯子，对诸葛亮说：“现在从您口中说出的话，只进入我的耳朵，绝对没有第三者听到，还不能教我吗？”诸葛亮说：“你没听说过同为晋献公的儿子，申生留在国内是危险的，重耳逃到国外反而安全了吗？”刘琦恍然大悟，遂自请外放镇守江夏。

## 9.宋太祖　曹彬



【原文】

唐主畏太祖威名，用间于周主。遣使遗太祖书，馈以白金三千。太祖悉输之内府，间乃不行。

周遣阁门使曹彬以兵器赐吴越，事毕亟返，不受馈遗。吴越人以轻舟追与之，至于数四，彬曰：“吾终不受，是窃名也。”尽籍其数，归而献之。后奉世宗命，始拜受，尽以散于亲识，家无留者。

评：不受，不见中朝之大；直受，又非臣子之公。受而献之，最为得体。

## 【译文】

南唐国主畏惧宋太祖赵匡胤的威名，于是对后周世宗使用离间之计。他派使者送信给赵匡胤，并赠送了三千两白银。宋太祖却把这些银两都上交了国库，于是南唐的离间计失败了。

后周派阁门使曹彬送兵器给吴越，曹彬事情办完后立刻回国，不接受馈赠。吴越人又坐轻舟追上他，将礼物给他，曹彬推辞了四次后，说："我再不接受就是矫情沽名了。"于是把吴越所送的礼物全数登记下来，回来献给世宗，后来奉世宗之命才拜受了，但他全拿出来送给了亲戚朋友，自己家里一点都没留。

评：不接受就不能表现朝廷的伟大，直接接受则不是臣子应有的大公无私，接受下来再献给朝廷，是最得体的方法。

# 10. 拒高丽僧　焚西夏书

## 【原文】

高丽僧寿介状称"临发日，国母令赍金塔祝寿"。东坡见状，密奏云："高丽苟简无礼，若朝廷受而不报，或报之轻，则夷虏得以为词；若受而厚报之，是以重礼答其无礼之馈也。臣已一面令管勾职员退还其状，云：'朝廷清严，守臣不敢专擅奏闻。'臣料此僧势不肯已，必云本国遣来献寿，今兹不奏，归国得罪不轻。臣欲于此僧状后判云：'州司不奉朝旨，本国又无来文，难议投进，执状归国照会。'如此处分，只是臣一面指挥，非朝廷拒绝其献，颇似稳便。"

范仲淹知延州，移书谕元昊以利害，元昊复书悖慢。仲淹具奏其状，焚其书，不以上闻。夷简谓宋庠等曰："人臣无外交，希文何敢如此！"宋庠意夷简诚深罪范公，遂言

“仲淹可斩”。仲淹奏曰：“臣始闻虏悔过，故以书诱谕之。会任福败，虏势益振，故复书悖慢。臣以为使朝廷见之而不能讨，则辱在朝廷，故对官属焚之，使若朝廷初不闻者，则辱专在臣矣。”杜衍时为枢密副使，争甚力，于是罢庠知扬州。而仲淹不问。

【译文】

北宋元祐年间，高丽僧人寿介呈递奏状说：“出发那天，国母命令我带金塔来向宋朝天子祝寿。”苏东坡看了奏状，秘密禀奏道：“高丽实在简慢无礼，如果朝廷接受而不回报，或报酬太轻，高丽还可能有怨言；如果接受而回报太丰富，则是用重礼酬答无礼的馈赠。微臣已一面命令主管的官员退还奏状说：‘我国朝廷清明严正，有关的官吏不敢擅自奏报。’微臣预料这个和尚一定不肯罢休，必然说：‘本国派他来献寿礼，现在不为他奏报，回国后他必定受到重罚。’微臣想在和尚的奏状后面批：‘州官没有收到朝廷的圣旨，贵国又没有正式公文送来，难以呈报。请你拿此状回国照会吧。’这样处理，只是我自作主张、自行处断的，并非朝廷拒绝其国的献寿之事，好像比较稳便。”

范仲淹任延州知州，发出公文给西夏主赵元昊，告诉他彼此相互敌对的利害。元昊回文，言辞傲慢。范仲淹把其回书的内容向上一一奏报，却把回书焚烧，不让皇上阅看。吕夷简对宋庠等人说：“臣子没有外交权，希文（范仲淹字）怎敢这么做？”宋庠心想吕夷简在责怪范仲淹，就说：“范仲淹可当斩首。”范仲淹禀奏道：“微臣起初听说元昊悔过，所以发文书诱导告诫他。当时正好遇到任福战败，元昊势力大振，所以回信态度傲慢。微臣认为假使朝廷看到这封回书而不去讨伐，则让朝廷受辱！所以当着同仁的面烧掉回书，假装朝廷不知道这件事，则只是微臣一个人受辱。”杜衍当时任枢密副使，极力为范仲淹辩护，于是皇上把宋庠贬到扬州做知州，而对范仲淹不再问罪。

## 11.于谦

【原文】

永乐间降虏多安置河间、东昌等处，生养蕃息，骄悍不驯。方也先入寇时，皆将乘机骚动，几至变乱。至是发兵征湖、贵及广东、西诸处寇盗，于肃愍奏遣其有名号者，厚与赏犒，随军征进。事平，遂奏留于彼。于是数十年积患，一旦潜消。

评：用郭钦徙戎之策而使戎不知，真大作用！

【译文】

在明成祖永乐年间，投降的胡虏多安置在河间、东昌等地，经过生养蕃息，胡虏形成了一个骄悍不驯的群体。在北方瓦剌部落的也先进犯京师的时候，他们都乘机骚动，几乎酿成变乱。后来朝廷将派兵征讨湖南、贵州及广东、广西各地的强盗，于谦上奏建议，就派那些胡虏的大小首领随军征战，多给他们一点犒赏。强盗平定后，于谦又上奏将那些胡虏留在当地。于是数十年积累下的隐患，一下子就消除了。

评：于谦用郭钦平戎之策而使戎毫无所知，真是大作用！

## 12.刘大夏　张居正

【原文】

庄浪土帅鲁麟为甘肃副将，求大将不得，恃其部落强，径归庄浪，以子幼请告。有欲予之大将印者，有欲召还京，予之散地者。刘尚书大夏独曰："彼虐，不善用其众，无能为也。然未有罪。今予之印，非法；召之不至，损威。"乃为疏，奖其先世之忠，而听其就闲。麟卒怏怏病死。

黔国公沐朝弼，犯法当逮。朝议皆难之，谓朝弼纲纪之卒且万人，不易逮，逮恐激诸夷变。居正擢用其子，而驰单使缚之，卒不敢动。既至，请贷其死，而锢之南京，人以为快。

评：奖其先则内愧，而怨望之词塞。擢其子则心安，而巢穴之虑重。所以罢之锢之，唯吾所制。

【译文】

明代，庄浪土帅鲁麟是甘肃副将，他因争甘肃大将的官职没有成功，便依仗自己部落的势力强大，直接回到庄浪，以儿女年幼为由请假告休。朝中的官吏，有人主张封他为大将，也有人主张召他回京城，封他土地。只有尚书刘大夏说："鲁麟性情残暴，不善于运用他的部卒，不足为患。然而他并没有犯罪。现在给他大将印信不合法；召他不来反而有损朝廷的威严。"刘大夏于是上疏，褒奖鲁麟祖先的忠贞，而听任他闲居。鲁麟最终怏怏病死。

明朝黔国公沐朝弼犯法，应当逮捕。朝臣们议论时，都感到这件事很难办，说沐朝弼府中士卒近万人，不易逮捕，逮捕恐怕激成兵变。张居正于是先提拔沐朝弼的儿子，然后派人飞速往沐府擒获沐朝弼，府中士卒不敢动手。捉来沐朝弼后，张居正请求赦免他的死刑，但把他禁锢在南京。人人都觉得很痛快。

评：褒奖鲁麟的祖先，使他内心愧疚而无从发出抱怨。提拔沐朝弼的儿子，使他心安而其内部出现猜疑之心。因而不论是罢黜，还是禁锢，全都在我的掌握之中。

## 13.刘坦

【原文】

坦为长沙太守，行湘州事。适王僧粲谋反，湘部诸郡蜂起应之，而前镇军锺玄绍者潜谋内应，将克日起。坦侦知之，佯为不省，如常理讼。至夜，故开城门以疑之。玄绍不敢发。明旦诣坦问故，坦久留与语，而密遣亲兵收其家书。玄绍尚在坐，收兵还，具得其文书本末，因出以质绍。绍首伏，即斩之，而焚其书以安余党，州部遂安。

【译文】

南北朝时，刘坦任长沙太守，兼管湘州事务。当时正逢王僧粲谋反，湘州各郡群起响应。前任湘州镇军锺玄绍，暗地预谋做内应，将选择日子起兵。刘坦探知这个阴谋，却假装不知道，照常处理讼案。到了晚上，他故意打开城门作疑兵之计，使得锺玄绍不敢起兵。第二天早上，锺玄绍问刘坦问为何晚上大开城门。刘坦一面把锺玄绍留下，和他谈了很长时间的话，一面秘密派亲兵去搜查锺玄绍家中书信。锺玄绍还在座，士卒就已经回来，且得到记载事情本末的文书，刘坦因而拿出来质问锺玄绍，锺玄绍遂俯首认罪，当即被处死。刘坦烧掉文书，以安抚锺玄绍的余党，于是湘州各郡都得到了安宁。

## 14.停胡客供

【原文】

唐因河陇没于吐蕃，自天宝以来，安西、北庭奏事，及西域使人在长安者，归路既绝，人马皆仰给鸿胪。礼宾委府县供之，度支不时付直，长安市肆，不胜其弊。李泌知胡客留长安久者或四十余年，皆有妻子，买田宅，举质取利甚厚。乃命检括胡客有田宅者，得四千人，皆停其给。胡客皆诣政府告诉，泌曰："此皆从来宰相之过，岂有外国朝贡使者留京师数十年不听归乎！今当假道于回纥，或自海道，各遣归国。有不愿者，当令鸿胪自陈，授以职位，给俸禄为唐臣。人生当及时展用，岂可终身客死耶？”于是胡客无一人愿归者，泌皆分领神策两军，王子使者为散兵马使或押衙，余皆为卒，禁旅益壮。鸿胪所给胡客才十余人，岁省度支钱五十万。

【译文】

唐朝天宝以后，因为河、陇两镇被吐蕃占取，所以安西、北庭等地前来奏事的，以及西域各国的使者在长安的，因回去的路被断绝，致使留居长安，其人马费用都是由主管外宾事务的鸿胪寺供给。对此，鸿胪寺下属的礼宾院又委派给由各府县提供，致使财政上不能按时付出款项，这些人便经常拖欠货账，使得长安城内的许多市场、店铺不堪承受此种恶果。李泌很清楚，这些留在长安的外国人，久的已有四十多年，都有妻子儿女，都买了土地房屋，以典当、放高利贷获取丰厚的利润，于是命人检查胡客中有田宅的，发现有四千多人，都停止了对他们的供给，这些胡客们便都到中书省来诉说告状。李泌说：“这都是以往宰相的过失，哪有外国来朝贡的使者，听任他们留在京师数十年而不回国的呢？现在你们应当从回纥国绕道，或者从海道，各自都遣归故国。有不愿意的，应当向鸿胪寺陈述，便授以职位，给俸禄，为唐臣。人生应当及时地施展自己的才能，怎么可以在他乡客死终生呢？”结果没有一个外国人愿意回去。李泌便将他们分配在神策军、宫廷禁军，身份是王子、使者的担任散兵马使，或押衙，其余编为士卒，从此禁军更为壮大。这样由鸿胪寺供给生活费的外国人只剩十多人，每年的财政支出节省了五十万钱。

# 知微卷五

【原文】

圣无死地，贤无败局。缝祸于渺，迎祥于独。彼昏是违，伏机自触。集《知微》。

【译文】

圣人行事，绝不会自陷死地；贤者所为，从不曾遭逢败局。因为他们能从细微的征象中预知祸害的先兆，总能未雨绸缪，得到圆满的结果。集此为《知微》卷。

## 1.箕子

【原文】

纣初立，始为象箸。箕子叹曰："彼为象箸，必不盛以土簋，将作犀玉之杯。玉杯象箸，必不羹藜藿，衣短褐，而舍于茅茨之下，则锦衣九重，高台广室。称此以求，天下不足矣！远方珍怪之物，舆马宫室之渐，自此而始，故吾畏其卒也！"未几，造鹿台，为琼室玉门，狗马奇物充其中，酒池肉林，宫中九市，而百姓皆叛。

【译文】

纣王刚即位，就命人制造象牙筷子。箕子（纣王的叔父）叹息说："他用象牙筷子吃饭，一定不会用陶碗盛装食物，将来还会做犀角美玉的杯子。有美玉杯、象牙筷，一定不会吃粗陋的食物，穿粗糙的衣服，也不会住在茅草房屋里，就会要求身披锦衣九重，脚踩高台广室。为了达到这个标准，向天下四处寻求仍不能满足，对远方珍奇的物品与车马宫室的需索，就从此开始了。我害怕他由此走向灭亡！”不久，纣王果然建筑鹿台，用美玉建宫室及门户，狗马及珍奇物品充满宫中，建酒池肉林，并在宫中设立九个市集，而百姓都背叛了他。

## 2.殷长者

【原文】

武王入殷，闻殷有长者。武王往见之，而问殷之所以亡。殷长者对曰：“王欲知之，则请以日中为期。”及期弗至，武王怪之。周公曰：“吾已知之矣。此君子也，义不非其主。若夫期而不当，言而不信，此殷之所以亡也。已以此告王矣。”

【译文】

周武王进入殷商以后，听说殷商有一位长者，便前去见他，向他询问殷商灭亡的原因。殷商的长者回答说：“大王想知道原因，就请中午再来。”等到中午时分，长者却没有来，武王觉得很奇怪。周公说：“我已经知道原因了。这个人是君子，不肯批评自己君王的过失。像他这样约定而不到，说话不讲诚信，就是殷商灭亡的原因。他已经用这种方式告诉大王了。”

## 3.周公　太公

【原文】

太公封于齐，五月而报政。周公曰：“何疾也？”曰：“吾简其君臣，礼从其俗。”伯禽至鲁，三年而报政。周公曰：“何迟也？”曰：“变其俗，革其礼，丧三年而后除之。”周公曰：“后世其北面事齐乎？夫政不简不易，民不能近；平易近民，民必归之。”

周公问太公何以治齐，曰：“尊贤而尚功。”周公曰：“后世必有篡弑之臣！”太公问周公何以治鲁，曰：“尊贤而尚亲。”太公曰：“后寝弱矣！”

评：二公能断齐、鲁之敝于数百年之后，而不能预为之维；非不欲维也，治道可为者止此耳。虽帝王之法，固未有久而不敝者也，敝而更之，亦俟乎后之人而已，故孔子有“变齐、变鲁”之说。陆葵日曰：“使夫子之志行，则姬、吕之言不验。”夫使孔子果行其志，亦不过变今之齐、鲁，为昔之齐、鲁，未必有加于二公也。二公之子孙，苟能日儆惧于二公之言，又岂俟孔子出而始议变乎？

【译文】

姜太公受封于齐地，五个月后就来报告政情。周公说：“怎么这么快呀？”姜太公说：“我简化了他们君臣上下之礼仪，又不改变他们的风俗和习惯，所以政治局面很快得到安定。”伯禽（周公之子）受封于鲁，三年后才回来报告政情。周公说：“为什么这么迟呀？”伯禽说：“我改变他们的风俗，革新他们的礼节，丧礼三年后才解除丧服。”周公说：“如此看来，后代鲁国必将臣服于齐啊。处理政事不能简易，人民就不能亲近他；只有平易近人的执政者，人民才会归顺他。”

周公问太公：“你如何治理齐国？”太公说：“尊重贤圣之人而推崇有功绩之人。”周公说：“齐国后世一定会出现篡位弑君的臣子！”太公反问周公：“你如何治理鲁国？”周公说：“尊敬贤者而重视亲族。”太公说：“鲁国以后一定日渐衰弱！”

评：周公、太公能推断数百年后齐国与鲁国的弊病，而不能预先加以防范，并不是他们不想防范，而是治理政事所能做的，也只能如此而已。帝王的法统，本来就不可能传之永久而不衰弱。衰敝之后就会改朝换代，也只是等后来人而已，所以孔子有“变齐、变鲁”之说。陆葵日说：“假使孔子的志愿实现了，那么周公、太公的话就不灵验。”但就算孔子的心志果真实现，也不过是改变当时的齐、鲁成为往昔的齐、鲁，未必能胜过周公和太公。周公、太公的子孙，如果时时刻刻都能警惕戒惧祖先的预言，又哪里需要等到孔子出现后才议论改革的事呢？

## 4.辛有

【原文】

平王之东迁也，辛有适伊川，见披发而祭于野者，曰：“不及百年，此其戎乎？其礼先亡矣！”及鲁僖公二十二年，秦、晋迁陆浑之戎于伊川。

评：犹秉周礼，仲孙卜东鲁之兴基；其礼先亡，辛有料伊川之戎祸。

【译文】

周平王东迁国都时，大夫辛有到伊川去，看见有人披散头发在野外祭祀，说：“不到百年，这里就会被西戎所占，因为这里的礼仪制度已经丧失了。”等到鲁僖公二十二年（前638），秦晋两国果然把居于陆浑的戎族引诱到了伊川。

评：鲁国秉承周礼，因此仲孙湫预卜鲁国的基业兴盛；伊川失去祖先的礼节，因此辛有预料伊川有戎狄的灾祸。

## 5.何曾

【原文】

何曾字颖考，常侍武帝宴，退语诸子曰：“主上创业垂统，而吾每宴，乃未闻经国远图，唯说平生常事，后嗣其殆乎？及身而已，此子孙之忧也！汝等犹可获没。”指诸孙曰：“此辈必及于乱！”及绥被诛于东海王越，嵩哭曰：“吾祖其大圣乎！”［嵩、绥皆劭子，曾之孙也。］

【译文】

晋朝人何曾，字颖考，经常陪侍晋武帝饮宴。有一天，他回家后对儿子们说：“皇上开创大业，理当流传久远。但是我每次陪侍他饮宴，从未听他谈过经略国家的远大计划，只说平生的日常琐事，恐怕他的子孙会很危险。事业止于本身而停滞，子孙堪忧。你们还可以得以善终。”又指着孙子们说：“你们必定有灾祸临身！”后来何绥被东海王司马越杀害，何嵩哭着说：“我的祖父实在非常圣明啊！”［何嵩、何绥都是何劭之子，何曾之孙。］

## 6.管仲

【原文】

管仲有疾，桓公往问之，曰：“仲父病矣，将何以教寡人？”管仲对曰：“愿君之远易牙、竖刁、常之巫、卫公子启方。”公曰：“易牙烹其子以慊寡人，犹尚可疑耶？”对曰：“人之情非不爱其子也。其子之忍，又何有于君？”公又曰：“竖刁自宫以近寡人，犹尚可疑耶？”对曰：“人之情非不爱其身也。其身之忍，又何有于君？”公又曰：“常之巫审于死生，能去苛病，犹尚可疑耶？”对曰：“死生，命也，苛病，天也。君不任其命，守其本，而恃常之巫，彼将以此无不为也！”公又曰：“卫公子启方事寡人十五年矣，其父死而不敢归哭，犹尚可疑耶？”对曰：“人之情非不爱其父也。其父之忍，又何有于君？”公曰：“诺。”管仲死，尽逐之；食不甘，宫不治，苛病起，朝不肃。居三年，公曰：“仲父不亦过乎！”于是皆复召而反。明年，公有病，常之巫从中出曰：“公将以某日薨。”易牙、竖刁、常之巫相与作乱，塞宫门，筑高墙，不通人，公求饮不得。卫公子启方以书社四十下卫，公闻乱，慨然叹，涕出，曰：“嗟乎！圣人所见岂不远哉！”

评：昔吴起杀妻求将，鲁人谮之；乐羊伐中山，对使者食其子，文侯赏其功而疑其心。夫能为不近人情之事者，其中正不可测也。天顺中，都指挥马良有宠。良妻亡，上每慰问。适数日不出，上问及，左右以新娶对。上怫然曰：“此厮夫妇之道尚薄，而能事我耶？”杖而疏之。宣德中，金吾卫指挥傅广自宫，请效用内廷。上曰：“此人已三品，更欲何为？自残希进，下法司问罪！”噫！此亦圣人之远见也！

【译文】

管仲生病，齐桓公去看望他，问道：“仲父生病了，关于治国之道有什么可以教导寡人的？”管仲回答说：“希望君王疏远易牙、竖刁、常之巫、卫公子启方四人。”桓公说：“易牙把自己的儿子烹煮给寡人吃，只为了让寡人能够吃到人肉的美味，还有什么可疑吗？”管仲说：“人之常情没有不爱儿子的，能狠得下心杀自己的儿子，对国君又有什么狠不下心的？”桓公又问：“竖刁阉割自己，以求亲近寡人，还有什么可疑吗？”管仲说：“人之常情没有不爱惜身体的，能狠得下心残害自己的身体，对国君又有什么狠不下心的？”桓公又问：“常之巫能卜知生死，为寡人除病，还有什么可疑吗？”管仲说：“生死是天命，生病是疏忽。大王不笃信天命，固守本分，而依靠常之巫，他将借此胡作非为，造言惑众。”桓公又问：“卫公子启方侍候寡人十五年了，父亲去世都不敢回去奔丧，还有什么可疑吗？”管仲说：“人之常情没有不敬爱自己父亲的，能狠得下心不奔父丧，对国君又有什么狠不下心的？”桓公最后说：“好，我答应你。”管仲去世后，桓公就把这四个人全部赶走。但是，桓公从此食不知味，宫室不治理，旧病又发作，朝仪也不整肃。

经过三年，桓公说：“仲父的看法是不是错了？”于是又把那四个人都召回宫里。第二年，桓公生病，常之巫出宫宣布说：“桓公将于某日去世。”易牙、竖刁、常之巫相继起而作乱。关闭宫门，建筑高墙，不准任何人进出，桓公要求饮水食物都得不到。卫公子启方以四十个社（二十五户为一社，即一千户）的名籍归降卫国。桓公听说四人作乱，感慨地流着泪说：“唉！圣人的见识，真的是很远大啊！”

评：从前吴起的妻子是齐国人，吴起为了取得鲁国将领的地位，去攻击齐国，就杀死了妻子，可是鲁国人都说他的坏话。乐羊讨伐中山国，中山国君把乐羊的儿子烹煮送来给乐羊，乐羊当着使者的面吃了一碗，表示不在乎。魏文侯奖赏他的功劳，却怀疑他的居心。能做出不近人情之事的人，其心不可测。明英宗天顺年间，都指挥马良非常宠爱妻子。妻子去世，英宗常常安慰他。随后马良有数日未曾出现，英宗问及，左右的人说他刚娶妻。英宗很生气地说：“这家伙对夫妻的感情都看得这么淡薄，还能忠心侍候我吗？”于是对马良从以权州并疏远他。宣宗宣德年间，金吾卫指挥傅广阉割自己请求效命宫中。宣宗说：“此人官位已到三品，还想要做什么？居然自甘卑贱以求权势！交付法司问罪！”唉！这也是圣人的远见！

## 7.伐卫　伐莒

【原文】

齐桓公朝而与管仲谋伐卫。退朝而入，卫姬望见君，下堂再拜，请卫君之罪。公问故，对曰：“妾望君之入也，足高气强，有伐国之志也。见妾而色动，伐卫也。”明日君朝，揖管仲而进之。管仲曰：“君舍卫乎？”公曰：“仲父安识之？”管仲曰：“君之揖朝也恭，而言也徐，见臣而有惭色。臣是以知之。”

齐桓公与管仲谋伐莒，谋未发而闻于国。公怪之，以问管仲。仲曰：“国必有圣人也！”桓公叹曰：“嘻！日之役者，有执柘杵而上视者，意其是耶？”乃令复役，无得相代。少焉，东郭垂至。管仲曰：“此必是也！”乃令傧者延而进之，分级而立。管仲曰：“子言伐莒耶？”曰：“然。”管仲曰：“我不言伐莒，子何故曰伐莒？”对曰：“君子善谋，小人善意。臣窃意之也！”管仲曰：“我不言伐莒，子何以意之？”对曰：“臣闻君子有三色：优然喜乐者，钟鼓之色；愀然清静者，缞绖之色；勃然充满者，兵革之色。日者臣望君之在台上也，勃然充满，此兵革之色。君吁而不吟，所言者伐莒也；君举臂而指，所当者莒也。臣窃意小诸侯之未服者唯莒，故言之。”

评：桓公一举一动，小臣妇女皆能窥之，殆天下之浅人与？是故管子亦以浅辅之。

【译文】

齐桓公在朝上与管仲商讨伐卫的事。退朝回后宫后，卫姬一看见齐桓公，就立刻走下堂来跪拜，替卫君请罪。桓公问她什么缘故，她回答说：“妾看见君王进来时，步伐高迈，神气豪强，有讨伐他国的心志。看见妾后，脸色改变，一定是要讨伐卫国了。”第二天桓公上朝，谦让地让管仲先进去。管仲说：“君王取消伐卫的计划了吗？”桓公说：“仲父怎么知道的？”管仲说：“君王上朝时，态度谦让，语气缓慢，看见微臣时面有愧色，微臣所以知道。”

齐桓公和管仲商量讨伐莒的事情，计划还未发布却已经举国皆知。桓公觉得很奇怪，就问管仲。管仲说：“国内一定有圣人。”桓公叹息道：“唉，白天工作的役夫之中，有位拿着木杵而向上看的人，想必就是他吧。”于是命令役夫回来工作，并且不让他们找人顶替。不久，东郭垂来了。管仲说：“一定就是这个人。”于是命令傧者请他来觐见，分级站立。管仲道：“是你说我们国家要讨伐莒吗？”东郭垂答道：“是的。”管仲说：“我从不曾说要伐莒，你为何说我要伐莒呢？”东郭垂答道：“君子善于策谋，小人善于推测。这个话是我私自猜测的。”管仲说：“我不曾说要伐莒，你是从哪里猜测的？”东郭垂答道：“小民听说君子有三种脸色：悠然喜乐，是燕享的脸色；严肃清静，是有丧事的脸色；生气充沛，是将用兵的脸色。前些日子，我望见君王站在台上，生气充沛，这就是将用兵的脸色。君王叹息而不呻吟，所说的都与莒有关；君王手所指的也是莒国的方位。如今尚未归顺的小诸侯唯有莒国，所以我猜测君王要伐莒。”

评：桓公的一举一动，连小民妇女都能猜测得到，大概是器宇不宏远的人，所以管仲就用霸道而不用王道辅助他。

## 8.臧孙子

【原文】

齐攻宋，宋使臧孙子南求救于荆。荆王大悦，许救之甚欢。臧孙子忧而反，其御曰：“索救而得，子有忧色，何也？”臧孙子曰：“宋小而齐大，夫救小宋而患于大齐，此人之所以忧也。而荆王悦，必以坚我也。我坚而齐敝，荆之所利也。”臧孙子归，齐拔五城于宋，而荆救不至。

【译文】

齐国攻打宋国，宋国派臧孙子做使者到南方向楚荆求救。

楚王十分高兴，很痛快地答应了而且很积极。可臧孙子却面带忧虑之色返了回来。他的车夫问道："救兵已经求到了，您还忧虑什么？"臧孙子说："宋国弱小而齐国强大，为了救宋而得罪强大的齐国，一般人遇到这种情形都会有所顾忌而忧虑，而楚王却很高兴，一定是希望我方坚守不要同齐国讲和。我方坚守消耗齐国的兵力，对楚国自然有利。"臧孙子回国后，齐国攻占了宋国的五个城池，楚国的救兵果然一直没来。

## 9.南文子

【原文】

智伯欲伐卫，遗卫君野马四百、璧一。卫君大悦，君臣皆贺，南文子有忧色。卫君曰："大国交欢，而子有忧色何？"文子曰："无功之赏，无力之礼，不可不察也。野马四百、璧一，此小国之礼，而大国致之。君其图之！"卫君以其言告边境。智伯果起兵而袭卫，至境而反，曰："卫有贤人，先知吾谋也！"

评：韩、魏不爱万家之邑以骄智伯，此亦璧马之遗也。智伯以此蛊卫，而还以自蛊，何哉？

【译文】

晋国国君智伯想讨伐卫国，就给卫国国君送去野马四百匹、璧玉一块。卫国国君大喜，群臣都来祝贺，而南文子却面带忧愁。卫国国君说："大国和我们交好，你为何忧愁啊？"文子说："没有功劳而得到赏赐，没有效力却得到礼物，不能不察其本意。野马四百匹、璧玉一块，这是小国向大国进献礼品的规格，而晋国这个大国却给我们送来这种规格的礼品，大王你要防备他呀！"卫君将这些话告诉边境的守军，让边境守军做好防卫的准备。智伯果然起兵袭击卫国，到了边境却又退兵，说：“卫国有贤明的人，预先知道了我的计谋！”

评：韩、魏不肯接受万家县邑，以使智伯骄傲，这也是赠送野马、璧玉之类的事。智伯用这种手段来迷惑卫，自己反而看不清楚，为什么呢？

## 10.诸葛亮

【原文】

有客至昭烈所，谈论甚惬。诸葛忽入，客遂起如厕。备对亮夸客，亮曰：“观客色动而神惧，视低而盼数，奸形外漏，邪心内藏，必曹氏刺客也！”急追之，已越墙遁矣。

【译文】

有客人到刘备的住所拜访，彼此相谈甚欢。诸葛亮忽然走了进来，客人立刻起来上厕所。刘备对诸葛亮夸奖客人，诸葛亮说：“我观察客人脸色骤变而神情恐惧，视线低垂且左顾右盼，外表显露奸诈，内心隐藏邪恶，一定是曹操派来的刺客。”刘备急忙派人追寻，发现那人已经翻墙逃走了。

## 11.夏翁　尤翁

【原文】

夏翁，江阴巨族，尝舟行过市桥，一人担粪，倾入其舟，溅及翁衣。其人旧识也，僮辈怒，欲殴之。翁曰：“此出不知耳，知我宁肯相犯！”因好语遣之。及归，阅债籍，此人乃负三十金无偿，欲因以求死。翁为之折券。

长洲尤翁开钱典，岁底，闻外哄声，出视，则邻人也。司典者前诉曰：“某将衣质钱，今空手来取，反出詈语，有是理乎！”其人悍然不逊。翁徐谕之曰：“我知汝意，不过为过新年计耳。此小事，何以争为？”命检原质，得衣帷四五事，翁指絮衣曰：“此御寒不可少。”又指道袍曰：“与汝为拜年用，他物非所急，自可留也。”其人得二件，嘿然而去，是夜竟死于他家，涉讼经年。盖此人因负债多，已服毒，知尤富可诈；既不获，则移于他家耳。或问尤翁：“何以预知而忍之？”翁曰：“凡非理相加，其中必有所恃，小不忍则祸立至矣。”人服其识。

评：吕文懿公初辞相位，归故里，海内仰之如山斗。有乡人醉而詈之，公戒仆者勿与较。逾年其人犯死刑入狱，吕始悔之，曰：“使当时稍与计较，送公家责治，可以小惩而大戒。吾但欲存厚，不谓养成其恶，陷人于有过之地也。”议者以为仁人之言。或疑此事与夏、尤二翁相反。子犹曰：“不然，醉詈者恶习，理之所有，故可创之使改。若理外之事，亦当以理外容之。智如活水，岂可拘一辙乎！”

【译文】

夏翁是江阴县（今江阴市）的大族，曾坐船经过市桥，有一个人挑粪倒入他的船里，溅到夏翁的衣服。此人还是旧相识。僮仆很生气，想打他。夏翁说：“这是因为他不知情，如果他知道是我，怎会冒犯我呢？”因而用好话把他打发走了。回家后，夏翁翻阅债务账册查索，原来这个人欠了三十两钱无法偿还，想借此求死。夏翁因此撕毁了他的契券，不要他还。

长洲尤翁开典当铺，年末时，听到门外有吵闹声，出门一看，原来是他的一个邻居。司典者上前对尤翁诉说：“此人拿衣服来典押借钱，现在却空手前来赎取，而且出口骂人，有这种道理吗？”此人还是一副剽悍不驯的样子。尤翁告诉他说：“我知道你的心意，不过是为新年打算而已，为这种小事何必争吵？”随后命人检查他原来典当的物品，共有四五件衣服。尤翁指着棉衣道：“这件是御寒不可少的。”又指着长袍道：“这件给你拜年用，其他不是急需的，自然可以留在这里。”这个人拿了两件衣服，默默地离去，当晚竟然死在别人家，官司打了一年。原来这个人因负债太多，已经服毒，知道尤翁富有，想讹诈钱财；见讹诈不成，就转移到别人家了。有人问尤翁：“你是根据什么猜到他的计谋而忍让他的呢？”尤翁说：“凡是别人同你发生冲突而不合常理，一定是他有所仗恃。小事不能忍，灾祸立刻降临。”人人都佩服他的见识。

评：吕文懿公刚辞相位回故里时，海内外的人都十分景仰尊重他。有一个乡下人喝醉酒后大骂文懿公，文懿公告诫仆人不要与他计较。一年后，这个人触犯死罪入狱，文懿公才感到后悔，说：“假使当初稍微和他计较，送他去官府责问，施以小小的惩罚，就可以给他很大的教训。我只想到保持自己的厚道，反而养成他的恶行，而使他到了犯罪的地步。”议论的人认为这是仁者的话。有人认为这事与夏、尤二翁的做法相反。高弘图说：“不对，酒醉骂人是坏习惯，却有理可寻，可以使他受罚而悔改，但如果是没有道理的事，就应该不论道理地包容他。智慧就像活水一样，哪会只局限于一种方法呢！”

## 12.隰斯弥

【原文】

隰斯弥见田成子，田成子与登台四望，三面皆畅，南望，隰子家之树蔽之，田成子亦不言。隰子归，使人伐之，斧才数创，隰子止之。其相室曰：“何变之数也？”隰子曰：

“谚云：‘知渊中之鱼者不祥。’田子将有事，事大而我示之知微，我必危矣。不伐树，未有罪也；知人之所不言，其罪大矣，乃不伐也。”

评：又是隰斯弥一重知微处。

【译文】

隰斯弥拜见田成子，田成子和他一起登台远望，看到三面都视野辽阔，只有南面被隰斯弥家的树遮蔽了，田成子也没有说什么。隰斯弥回家后，立刻派人把树砍掉，但是斧头刚砍出几个伤口，隰斯弥又阻止了砍树的人。他的相室（室臣中的长者）说：“为什么变得这样快呢？”隰斯弥说：“古时候有句谚语说：‘知道深渊里有鱼是不吉祥的。’那田成子将要干一番改朝换代的大事，而我却向他显示出我知道其中的微妙，这样我就危险了。不伐树，没有什么罪过；知道了别人不想说出来的事情，那罪过就大了。所以就不砍树了。”

评：又是隰斯弥早一步预知事情先兆的事。

## 13.郈成子

【原文】

郈成子为鲁聘于晋，过卫，右宰谷臣止而觞之，陈乐而不乐，酒酣而送之以璧。顾反，过而弗辞。其仆曰：“向者右宰谷臣之觞吾子也甚欢，今侯渫过而弗辞？”郈成子曰：“夫止而觞我，与我欢也；陈乐而不乐，告我忧也；酒酣而送我以璧，寄之我也。若是观之，卫其有乱乎？”倍卫三十里，闻宁喜之难作，右宰谷臣死之。还车而临，三举而归；至，使人迎其妻子，隔宅而异之，分禄而食之；其子长而反其璧。孔子闻之，曰：“夫知可以微谋，仁可以托财者，其郈成子之谓乎！”

【译文】

郈成子作为鲁国使节访问晋国，经过卫国时，右宰谷臣请他留下来饮酒，陈设乐队奏乐，乐曲却不欢快，喝酒喝到畅快之际，还把璧玉送给了郈成子。但是郈成子回程途中经过卫国时，却没有向右宰谷臣告辞。郈成子的仆人说：“先前右宰谷臣请您喝酒喝得很高兴，如今您回来经过卫国，为什么不向他告辞？”郈成子说：“他把我留下来喝酒，是要和我一起欢乐；陈设乐队奏乐而乐曲却不欢快，是要告诉我他的忧愁；酒酣后送我璧玉，是把它托付给我。如此看来，卫国将有动乱发生。”离开卫国才三十里，就听说宁喜之乱发生，右宰谷臣被杀。郈成子立刻掉头回到右宰谷臣家，再三祭拜后才回鲁国。到家后，又派人去接右宰谷臣的妻子和儿子，将自己的住宅分出一部分给他们住，将自己的俸禄分出一部分供养他们，到右宰谷臣的儿子长大后，又将璧玉归还。孔子听到这件事，说道：“有预见，可以事先策划对策；有仁义，可以托付财物。说的就是郈成子吧！”

# 亿中卷六

【原文】

镜物之情，揆事之本。福始祸先，验不回瞬。藏钩射覆，莫予能隐。集《亿中》。

【译文】

观察物体的实情，揣度事情的本源。不论是福是祸，都能在瞬间测中。藏钩射覆都瞒不了我。集此为《亿中》卷。

## 1.子贡

【原文】

鲁定公十五年正月，邾隐公来朝，子贡观焉。邾子执玉高，其容仰，公受玉卑，其容俯。子贡曰："以礼观之，二君皆有死亡焉。夫礼，死生存亡之体也：将左右、周旋、进退、俯仰，于是乎取之；朝、祀、丧、戎，于是乎观之。今正月相朝而皆不度，心已亡矣。嘉事不体，何以能久！高仰，骄也；卑俯，替也。骄近乱，替近疾。君为主，其先亡乎？"五月公薨。孔子曰："赐不幸言而中，是使赐多言也。"

【译文】

鲁定公十五年（前495）正月，邾隐公（邾国的国主，是颛顼的后裔）来朝，子贡在旁边观礼。邾隐公拿着宝玉给定公时，高仰着头，态度出奇高傲，定公接受时则低着头，态度异常谦卑。子贡看了，说道："以这种朝见之礼来看，两位国君皆有死亡的可能。礼是生死存亡的根本，小至每个人日常生活的一举一动，一言一行，大到国家的祭祀、丧礼以及诸侯之间的聘问相见，都得依循礼法。现在二位国君在如此重要的正月相朝大事上，行为举止都不合法度，可见内心已完全不对劲了。朝见不合礼，怎么能维持国祚于长久呢！高仰是骄傲的表现，谦卑是衰弱的先兆。骄傲代表混乱，衰弱接近疾病。而定公是主人，可能会先出事吧？”五月，定公去世。孔子忧心忡忡地说：“这次不幸被赐说中了，恐怕会让他更成为一个轻言多话的人。”

## 2.希卑

【原文】

秦攻赵，鼓铎之音闻于北堂。希卑曰：“夫秦之攻赵，不宜急如此，此召兵也，必有大臣欲衡者耳。王欲知其人，旦日赞群臣而访之，先言衡者，则其人也。”建信君果先言衡。

【译文】

秦兵攻击赵国，钟鼓的声音远传到庙里。希卑说：“秦国攻击赵国，不应如此急切，这种情况是在联络内应，一定有大臣想采用连横的策略。大王想知道是什么人，明天接见群臣的时候问一下，先说连横的人就是了。”次日，建信君果然先说要连横。

## 3.范蠡

【原文】

朱公居陶，生少子。少子壮，而朱公中男杀人，囚楚。朱公曰：“杀人而死，职也。然吾闻：‘千金之子，不死于市。'"乃治千金装，将遣其少子往视之。长男固请行，不听，以公不遣长子而遣少弟，"是吾不肖"，欲自杀。其母强为言，公不得已，遣长子，为书遗故所善庄生，因语长子曰："至，则进千金于庄生所。听其所为，慎无与争事。"长男行，如父言。庄生曰："疾去毋留，即弟出，勿问所以然。"长男阳去，不过庄生而私留楚贵人所。

庄生故贫，然以廉直重，楚王以下皆师事之；朱公进金，未有意受也，欲事成后复归之以为信耳。而朱公长男不解其意，以为殊无短长。庄生以间入见楚王，言："某星某宿不利楚，独为德可除之。"王素信生，即使使封三钱之府。贵人惊告朱公长男曰："王且赦。每赦，必封三钱之府。"长男以为赦，弟固当出，千金虚弃，乃复见庄生。生惊曰："若不去耶？"长男曰："固也。弟今且自赦，故辞去。"生知其意，令自入室取金去。庄生羞为儿子所卖，乃入见楚王曰："王欲以修德禳星，乃道路喧传陶之富人朱公子杀人囚楚，其家多持金钱赂王左右，故王赦。非能恤楚国之众也，特以朱公子故。"王大怒，令论杀朱公子，明日下赦令。

于是朱公长男竟持弟丧归。其母及邑人尽哀之，朱公独笑曰："吾固知必杀其弟也。彼非不爱弟，顾少与我俱，见苦为生难，故重弃财。至如少弟者，生而见我富，乘坚策肥，岂知财所从来哉！吾遣少子，独为其能弃财也；而长者不能，卒以杀其弟。——事之理也，无足怪者，吾日夜固以望其丧之来也！"

评：朱公既有灼见，不宜移于妇言，所以改遣者，惧杀长子故也。"听其所为，勿与争事"，已明明道破，长子自不奉教耳。庄生纵横之才不下朱公，生人杀人，在其鼓掌。然宁负好友，而必欲伸气于孺子，何德宇之不宽也！噫，其所以为纵横之才也与！

【译文】

陶朱公范蠡居住在定陶时，生下了小儿子。小儿子长大时，陶朱公的第二个儿子因杀人被囚禁在楚国。陶朱公说："杀人被处死，是天经地义的。但我听说'富家子不应在大庭广众之间被处决'。"于是准备千两黄金，要派小儿子前往探视。大儿子一再请求前往，陶朱公不肯。大儿子认为父亲不派大儿子而派小弟，分明是认为自己不肖，想自杀。母亲极力劝说，陶朱公不得已，只好派长男带信去找老朋友庄生，并告诉大儿子说："到了以后，就把这一千两黄金送给庄生，随他处置，千万不要和他争执。"长男前往，照父亲的话做。庄生说："你赶快离开，不要停留，即使令弟被放出来，也不要问他为什么。"长男假装离去，也不告诉庄生，而私下留在楚国一个贵人的家里。

庄生很穷，但以廉洁正直被人尊重，楚王以下的人都以老师的礼数来敬事他，陶朱公送的金子，他无意接受，想在事成后归还以表诚信。而陶朱公的长男不了解庄生，以为他没有什么救人的办法。庄生利用机会入宫见楚王，说明某某星宿不利，若楚国能独自修德，则可以解除。楚王向来信任庄生，立刻派人封闭三钱之府（贮藏黄金、白银、赤铜三种货币的府库）。楚国贵人很惊奇地告诉陶朱公的长男说："楚王将要大赦了。因为每次大赦一定封闭三钱之府。"长男认为遇到大赦，弟弟本来就当出狱，则一千两黄金是白花了，于是又去见庄生。庄生惊讶地说："你没有离开吗？"长男说："是啊。我弟弟很幸运在今天碰上楚王大赦，所以来告辞。"庄生知道他的意思，便让他自己进去拿黄金回去。长男这么做，使庄生感到非常不舒服，于是庄生就入宫见楚王说："大王想修德除灾，但外头老百姓却传言陶的富人朱公子杀人，囚禁在楚国，他的家人拿了很多钱来贿赂大王左右的人，所以大王这次大赦，并非真正怜恤楚国的民众，只是为了开释朱公子而已。"楚王很生气，立即下令杀朱公子，第二天才下大赦令。

于是陶朱公的长男最后只好带着弟弟的尸体回家，他的母亲及乡人都很哀伤。陶朱公却笑着说：“我本来就知道他一定会害死自己的弟弟。他并不是不爱弟弟，只是从小和我在一起，见惯了生活的艰苦，所以特别重视身外之财；至于小儿子，生下来就见到我富贵，过惯了富裕的生活，哪里知道钱财是怎么来的。我派小儿子去，只因为他能丢得开财物，而大儿子做不到，所以最后害死弟弟，是很正常的，一点不值得奇怪，我本来就等着他带着丧事回来。”

评：陶朱公既然已有明确的见解，其实真不该听妇人的话而改变主意，他之所以改派大儿子，可能是怕大儿子自杀。临行指示大儿子要随庄生处理，不要和他争执，明明已经讲清楚了，只是大儿子自己不受教罢了。庄生翻云覆雨的才能，不输于陶朱公，让谁生让谁死，完全控制在他的手掌中，然而他宁愿背叛好友，一定要和孩子争这一口气，为什么心胸气度这么狭窄呢？唉！难道他认为，这样才算有翻云覆雨的才能吗！

## 4.王应

【原文】

王敦既死，王含欲投王舒，其子应在侧，劝含投彬。含曰：“大将军平素与彬云何，汝欲归之？”应曰：“此乃所以宜投也！江州［彬］当人强盛，能立异同，此非常识所及，睹衰危，必兴慈愍。荆州［舒］守文，岂能意外行事耶？”含不从，径投舒，舒果沉含父子于江。彬初闻应来，为密具船以待，待不至，深以为恨。

评：好凌弱者必附强，能折强者必扶弱。应嗣逆敦，本非佳儿，但此论深彻世情，差强“老婢”耳。敦每呼兄含为“老婢”。

晋中行文子出亡，过县邑。从者曰：“此啬夫，公之故人，奚不休舍，且待后车？”文子曰：“吾尝好音，此人遗我鸣琴；吾好佩，此人遗我玉环。是振我过以求容于我者，吾恐其以我求容于人也！”乃去之。果收文子后车二乘而献之其君矣。蔺相如为宦者缪贤舍人，贤尝有罪，窃计欲亡走燕。相如问曰：“君何以知燕王？”贤曰：“尝从王与燕王会境上，燕王私握吾手曰：‘愿结交。’以故欲往。”相如止之曰：“夫赵强燕弱而君幸于赵王，故燕王欲结君。今君乃亡赵走燕，燕畏赵，其势必不敢留君，而束君归赵矣。君不如肉袒负斧锧请罪，则幸脱矣。”贤从其计。参观二事，足尽人情之隐。

【译文】

晋朝人王敦（王导的堂兄）去世后，王含（王敦的哥哥）想投靠王舒（王导的堂弟）。儿子王应在一边劝他投靠王彬（王敦的堂弟），王含说：“你难道不晓得大将军生前和王彬的关系坏到什么地步吗？怎么还会想到要投靠王彬呢？”王应说：“正因为如此才应该投靠王彬。王彬刚直不阿，即使以大将军生前的权势地位，都无法让他改变自己的操守和认知，这不是一般人的能力和智慧所能做到的。而如今大将军已死，权势冰消瓦解，王彬眼看王家从极盛到极衰，一定会生出不忍之心来救助我们。而王舒只知道遵守法令行事，哪能有法外开恩的事？”王含不肯听从，还是去投靠王舒，王舒果然将他们父子溺死于江中。王彬起初听说王应要来，暗中准备船只等待，却没等到王应，心里非常遗憾。

评：喜好欺凌弱者的人必定归附强者，能抑制强者的人必定扶持弱者。王应背叛王敦，本不是好侄儿，但他的言论深切世情，比起他那个被王敦唤作“老婢”的父亲要强多了。

春秋时晋中行文子逃亡，经过一个县城。侍从说：“这里的官员是大人的老朋友，为何不休息一下，等待后面的车子呢？”文子说：“我爱好音乐，这个人就送我名琴；我喜爱美玉，这个人就送我玉环。这个人是投我所好而助长我的过错的人，我怕他会用我去讨好别人。”于是迅速离开。后来这个人果然扣下文子后面的两部车子献给了他的新主子。蔺相如做宦者缪贤的家臣时，缪贤犯罪，计划逃到燕国。蔺相如问他：“您怎么知道燕王一定会接纳您呢？”缪贤说：“我曾陪着大王在边境上和燕王会面，燕王握着我的手说：‘愿意和我交朋友。’因而想去燕国。”蔺相如阻止他说：“赵国强盛而燕国弱小，您以前受赵王宠幸，所以燕王才想结交您；现在您要逃离赵国到燕国去，燕王畏惧赵王，一定不敢留您，反而会抓您来讨好赵王。您不如自己向赵王请罪，也许还有机会免罪。”缪贤依计而行。看了这两件事，可以更深刻地认识人情。

## 5.荀息

**【原文】**

晋献公谋于荀息曰：“我欲攻虞，而虢救之；攻虢则虞救之，如之何？”荀息曰：“虞公贪而好宝，请以屈产之乘与垂棘之璧，假道于虞以伐虢。”公曰：“宫之奇存焉，必谏。”息曰：“宫之奇之为人也，达心而懦，又少长于君。达心则其言略，懦则不能强谏，少长于君，则君轻之。且夫玩好在耳目之前，而患在一国之后，唯中智以上乃能虑之。臣料虞公，中智以下也。”晋使至虞，宫之奇果谏曰：“语云‘唇亡则齿寒’。虞、虢之相蔽，非相为赐。晋今日取虢，则明日虞从而亡矣！”虞公不听，卒假晋道。行既灭虢，返戈向虞。虞公抱璧牵马而至。

【译文】

晋献公和荀息商议说："我想攻打虞国，虢国一定会出兵救援；我攻打虢国，则虞国也必定会救援。这该怎么办才好？"荀息说："虞公生性贪婪，爱好宝物，请您用屈产的名马和垂棘的宝玉为诱饵，向虞公借路攻打虢国。"献公说："宫之奇（虞国大夫）在，一定会劝谏虞公。"荀息说："宫之奇的为人，内心明达而性格柔弱，又是虞公从小养大的。内心明达则说话只提纲领，不够详细；个性柔弱则不能强谏；而由虞公一手养大，虞公就会轻视他。而且宝物珍玩摆在眼前，祸患则远在虢国灭亡之后，这样的危机只有智力中上的人才会想到，微臣猜想虞公是个智力中等以下的君王。"晋国使者一到虞国，宫之奇果然劝谏虞公说："俗语说，'唇亡则齿寒'，虞国、虢国互为屏障，不是相互施恩。晋国今天灭了虢国，明天虞国也会跟着灭亡。"虞公不听，最终借路给晋国。晋国灭了虢国，回来就攻打虞国，虞公只好抱着宝玉、牵着名马来投降。

## 6.虞卿

【原文】

秦王龁攻赵，赵军数败，楼昌请发重使为媾。虞卿曰："今制媾者在秦，秦必欲破王之军矣，虽往请，将不听。不如以重宝附楚、魏，则秦疑天下之合纵，媾乃可成也。"王不听，使郑朱媾于秦。虞卿曰："郑朱贵人也，秦必显重之以示天下。天下见王之媾于秦，必不救王。秦知天下之不救王，则媾不可成矣。"既而果然。

评：战国策士，当以虞卿为第一。

【译文】

秦国王龁攻打赵国，赵军几次都打了败仗，楼昌请赵王派地位尊贵的使者去求和。虞卿说：“目前主动权完全握在秦国手中，秦王必定想乘机彻底击破赵国的军队，即使派人去请和，秦王也不会听从。不如用贵重的宝物讨好楚国和魏国，则秦王怀疑天下合纵抗秦，和谈才有机会成功。”赵王不听，仍然派郑朱到秦国求和。虞卿说：“郑朱是地位尊贵的人，秦王一定会尊重他，故意引起天下注意。天下各国看见大王向秦国求和，一定不出兵援救赵国。秦王知道天下不出兵援救赵国，求和就不能成功。”后来果然如此。

评：战国时期的谋士，虞卿当属第一。

## 7.傅岐

【原文】

侯景叛魏归梁，封河南王。魏相高澄忽遣使议和，时举朝皆请从之。傅岐为如新令，适在朝，独曰：“高澄方新得志，何事须和？必是设间以疑侯景，使景意不自安，则必图祸乱。若许之，正堕其计耳。”帝惑朱异言，竟许和。景未信，乃伪作邺人书，求以贞阳侯换景。帝答书，有“贞阳旦至，侯景夕返”语，景遂反。

【译文】

南北朝时，侯景背叛东魏国，归附南梁，被封为河南王。东魏丞相高澄忽然派使者来南梁议和，当时朝廷百官都赞成和议。傅岐任如新县令，正好人在朝廷，只有他说：“高澄刚得志掌权，有什么必要议和呢？一定是要使离间计，让侯景感觉自己受到朝廷怀疑而不能安心，这是逼他起兵作乱。如果答应议和，正中高澄的计谋。”梁武帝却听信了朱异的话，竟然答应议和。侯景起初不相信，就伪造魏国邺人的信，假称要放回当时扣押在魏的梁国贞阳侯萧明，以交换侯景。梁武帝回信，信中有“贞阳侯白天送到，侯景晚上就交回”的话，侯景于是造反。

## 8.刘惔

【原文】

汉主李势骄淫，不恤国事。桓温帅师伐之，拜表即行。朝廷以蜀道险远，温众少而深入，皆以为忧，唯刘惔以为必克。或问其故，惔曰：“以博知之：温善博者也，不必得，则不为。但恐克蜀之后，专制朝廷耳！”

评：按惔每奇温才，而知其有不臣之志，谓会稽王昱曰：“温不可使居形势之地。”昱不从。及温既克蜀，昱惮其威名，乃引殷浩以抗之，由是浸成疑贰。至浩北伐无功，而温遂不可制矣。

【译文】

晋朝时成汉主李势骄奢淫逸，不关心国事。桓温率军讨伐李势，上奏章后就出发。朝廷认为四川道路艰险，距离又远，桓温的士卒少而深入险境，都很担忧。只有刘惔认为桓温必胜。有人问他原因，刘惔说：“我是从赌博来推测的。桓温是个很厉害的赌徒，没把握赢他绝不会下注。我担心的只是，桓温攻下四川之后，一定会总揽朝廷的大权。”

评：刘惔每每赞赏桓温的才智，而且预知他有叛逆之心。他曾对会稽王司马昱说：“不可以使桓温处于形势险要之地。”司马昱不听。后来桓温攻下四川，司马昱才开始害怕桓温，而引用殷浩来抗衡，从此桓温与殷浩渐渐互相猜疑，到殷浩北伐无功时，桓温也完全无法控制了。

## 9.杨廷和

【原文】

彭泽将西讨流贼鄢本恕等，入问计廷和。廷和曰：“以君才，贼何忧不平！所戒者班师早耳。”泽后破诛本恕等，奏班师，而余党复猬起，不可制。泽既发而复留，乃叹曰：“杨公之先见，吾不及也！”

评：张英国三定交州而竟不能有，以英国之去也。假使如黔国故事，俾英国世为交守，虽至今郡县可矣。故平贼者，胜之易，格之难，所戒于早班师者，必有一番安戢镇抚作用，非仅仅仗兵威以胁之已也。

【译文】

明朝时，彭泽即将率兵西讨流贼鄢本恕等人，前来向杨廷和咨询。杨廷和说：“以你的才能，何愁不能平定这些贼寇？你需要当心的，是不要急着班师回朝。”彭泽杀了鄢本恕等人后，奏报朝廷要班师回京。不料贼寇余党又纷纷作乱，无法控制。彭泽出发以后又留下来，于是叹息道：“杨公的先见之明，是我比不上的。”

评：张英国三次平定交州，最终竟不能拥有交州，就是因为张英国离开了交州。假使如彭泽讨贼的故事，使张英国世代为交州太守，则至今交州还是明朝的郡县。所以平定贼寇很容易，要杜绝贼寇再作乱很难，因此要注意不能太早班师回来，必须进行一番安抚的工作，不是只靠武力威胁就能解决问题的。

## 10.士鞅

【原文】

晋士鞅奔秦。秦伯问于士鞅曰："晋大夫其谁先亡？"对曰："其栾氏乎？"秦伯曰："以其汰乎？"对曰："然。栾黡汰侈已甚，犹可以免，其在盈乎？"秦伯曰："何故？"对曰："武子［栾书。黡之父，盈之祖］，之德在民，如周人之思召公焉，爱其甘棠，况其子乎！栾黡死，盈之善未能及人，武子所施没矣，而黡之怨实章，将于是乎在！"秦伯以为知言。

【译文】

晋国人士鞅投奔秦国，秦伯问士鞅说："晋国大夫哪一家会先灭亡？"士鞅说："大概是栾氏吧。"秦伯说："因为他奢侈吗？"士鞅说："是的。栾黡确实是奢侈得太过分了，但这还罪不至死，原因在他儿子栾盈！"秦伯问："为什么这么说？"士鞅说："武子［栾书，栾黡的父亲，栾盈的祖父］对人民有恩泽，这就像当年召公有恩于人民，人民连他生前所宿的甘棠树都爱护有加，何况是他的亲生儿子？栾黡一死，他的儿子栾盈不能施恩给人民，武子遗留下的恩泽又差不多消磨殆尽了，加上对栾黡的怨恨记忆犹新，栾氏就将因此走向灭亡。"秦伯认为他的言论很有远见。

## 11.班超

【原文】

班超久于西域，上疏愿生入玉门关，乃召超还，以戊己校尉任尚代之。尚谓超曰：“君侯在外域三十余年，而小人猥承君后，任重虑浅，宜有以诲之。”超曰：“塞外吏士，本非孝子顺孙，皆以罪过徙补边屯，而蛮夷怀鸟兽之心，难养易败。今君性严急，水清无鱼，察政不得下和，宜荡佚简易，宽小过，总大纲而已。”超去后，尚私谓所亲曰：“我以班君尚有奇策，今所言平平耳！”尚留数年而西域反叛，如超所戒。

【译文】

东汉时，班超在西域待久了，就上疏希望能在有生之年活着进入玉门关。于是皇帝诏令班超回国，让戊己校尉任尚接替他的职务。任尚对班超说：“您在西域三十多年，如今我将接任您的职务，责任重大而我的智虑有限，请您多加教诲。”班超说：“塞外的官吏士卒，本来就不是守法的子民，都是因为犯罪而被流放边境戍守的；而蛮人心如禽兽，难养易变；我看你个性比较严厉急切，要知道水太清便养不了鱼，过于苛察便得不到属下的心，最好宽松简单，对小过失要宽容，把握大原则就可以了。”班超离开后，任尚私下对亲近的人说：“我以为班超会有什么奇谋，如今看他所说的没什么奇特之处啊。”任尚留守西域数年后，西域就反叛了，果然如班超所说。

# 剖疑卷七

【原文】

讹口如波，俗肠如锢。触目迷津，弥天毒雾。不有明眼，孰为先路？太阳当空，妖魑匿步。集《剖疑》。

【译文】

口中的谎言如波涛，一肚子的坏水像痼疾，有如漫天毒雾迷蒙双眼，没有明亮的眼睛，怎么知道何去何从？就像太阳当空，妖魔自然却步。集此为《剖疑》卷。

## 1.汉昭帝

【原文】

昭帝初立，燕王旦怨望谋反。而上官桀忌霍光，因与旦通谋，诈令人为旦上书，言："光出都肄郎羽林。道上称跸，擅调益幕府校尉，专权自恣，疑有非常。"候光出沐日奏之。帝不肯下。光闻之，止画室中不入。上问："大将军安在？"桀曰："以燕王发其罪，不敢入。"诏召光入，光免冠顿首谢。上曰："将军冠。朕知是书诈也，将军无罪。"光曰："陛下何以知之？"上曰："将军调校尉以来未十日，燕王何以知之？"时帝年十四，尚书左右皆惊，而上书者果亡。

【译文】

汉昭帝刚继位时，燕王刘旦心怀怨恨，图谋反叛。上官桀妒忌霍光，于是与燕王共谋，诈使别人为燕王上书，说："霍光去总阅试习郎官、羽林军时，所行道上禁止官民通行，并擅自增选大将军府的校尉，专权放纵，恐怕有反叛的意图。”上官桀特别选在霍光休假回家的日子上奏，但昭帝不肯下诏将霍光治罪。霍光听说这件事，待在殿前西阁之室不敢上殿。昭帝问：“大将军在哪里？”上官桀说：“因为燕王揭发他的罪状，他不敢上殿。”昭帝命霍光上殿，霍光脱掉帽冠叩头谢罪。昭帝说：“将军不必如此，朕知道这份奏章是假的，将军无罪。”霍光说：“陛下怎么知道的？”皇上说：“将军选校尉到现在不满十天，这些事情燕王怎么会知道？”当时昭帝年仅十四岁，尚书及左右官员都感到很惊讶。上书的人果然畏罪逃亡。

## 2.张说

【原文】

说有材辩，能断大义。景云初，帝谓侍臣曰：“术家言五日内有急兵入宫，奈何？”左右莫对。说进曰：“此谗人谋动东宫耳。陛下若以太子监国，则名分定、奸胆破、蜚语塞矣。”帝如其言，议遂息。

【译文】

唐朝人张说有才略，大事当前能迅速做出正确判断。唐睿宗景云二年（711），睿宗对侍臣说：“术士预言，在五天之内会有军队突然入宫，你们说怎么办？”左右的人不知怎么回答。张说进言道：“这一定是奸人想让陛下更换太子的诡计。陛下如果让太子监理国事，则太子名分确定，奸人诡计被破，流言自然消失。”睿宗照他的话做，谣言果然平息。

# 3.隽不疑

【原文】

汉昭帝五年，有男子诣阙，自谓卫太子。诏公卿以下视之，皆莫敢发言。京兆尹隽不疑后至，叱从吏收缚，曰：“卫蒯聩出奔，卫辄拒而不纳，《春秋》是之。太子得罪先帝，亡不即死，今来自诣，此罪人也！”遂送诏狱。上与霍光闻而嘉之曰：“公卿大臣当用有经术、明于大谊者。”由是不疑名重朝廷。后廷尉验治，坐诬罔腰斩。

评：国无二君，此际欲一人心、绝浮议，只合如此断决。其说《春秋》虽不是，然时方推重经术，不断章取义亦不足取信。《公羊》以卫辄拒父为尊祖。想当时儒者亦主此论。

【译文】

汉昭帝五年（前82），有一个男子入宫，自称是卫太子刘据。昭帝派公卿大臣下去检视，没人敢确定。京兆尹隽不疑最后才到，却立刻命令侍从拿下他，说：“卫蒯聩出奔到宋国，后来被人送回来，卫辄（聩的儿子）拒绝接纳，《春秋》认为做得对。太子得罪先帝，不肯服罪自尽而选择逃亡，今天就算来的真是卫太子，也不过是罪人而已。”于是直接将此人送入监狱。昭帝与霍光听了，都嘉奖隽不疑说：“公卿大臣，应当任用饱学经书而又明白大义的人。”隽不疑从此得到昭帝的重用。后来经廷尉验证，这个人果然是冒牌太子，因而被腰斩处死。

评：国无二君，这时想安定人心，杜绝不实的谣言，只能如此断然处置。隽不疑所提到《春秋》的说法虽然有问题，但当时正推崇经学，不断章取义援引经书的说法，就不能取信于人。《公羊传》认为卫辄拒绝父亲是向卫国的列祖列宗负责，想必当时的儒者也主张这种说法。

## 4.孔季彦

【原文】

梁人有季母杀其父者，而其子杀之，有司欲当以大逆，孔季彦曰："昔文姜与弑鲁桓，《春秋》去其姜氏，《传》谓'绝不为亲，礼也'。夫绝不为亲，即凡人耳。方之古义，宜以非司寇而擅杀当之，不当以逆论。"人以为允。

【译文】

东汉梁国，有人因为继母杀死自己的父亲，就把继母杀掉了。官府想判决他大逆不孝之罪，孔季彦说："从前文姜（春秋时鲁桓公的夫人）参与杀害鲁桓公，《春秋》就把姜氏原来鲁君夫人的名号去除，《左传》说：'这样不把姜氏再当成鲁君夫人的做法，是遵照礼法来的。'既然断绝了姜氏和鲁国公族的姻亲关系，姜氏便成了个普通人，因此，这件案子不应以大逆不孝的罪名，而应该用'不是司法官员却擅自处决他人'的罪名论处。"大家都同意。

## 5.张晋

【原文】

大司农张晋为刑部时，民有与父异居而富者，父夜穿垣，将入取资。子以为盗也，瞷其入，扑杀之；取烛视尸，则父也。吏议子杀父，不宜纵；而实拒盗，不知其为父，又不宜诛，久不能决。晋奋笔曰："杀贼可恕，不孝当诛。子有余财，而使父贫为盗，不孝明矣！"竟杀之。

【译文】

明朝时，大司农（掌管钱谷的官）张晋任职刑部时，有个富人与他的父亲分开居住，有一天晚上，他的父亲翻墙进入他家窃取财物，他以为是窃贼，就上前把人扑杀了；等拿蜡烛出来一照，才知道杀的是他父亲。承办案件的官吏认为儿子杀父亲，是大逆不道，不应有任何宽待；但这个富人确实只是在抵抗窃贼，不知道窃贼是自己的父亲，这样看又罪不至死，因此很久都不能决断。张晋提笔写道："杀死窃盗固然可以饶恕，但因不孝的这部分罪过应该诛杀。儿子这么富有，却让父亲穷困到做贼，此人明显是很不孝的。"最后还是判了这个富人死罪。

## 6.杜杲

【原文】

六安县人有嬖其妾者，治命与二子均分。二子谓妾无分法，杜杲书其牍曰："《传》云'子从父命'，《律》曰'违父教令'，是父之言为令也。父令子违，不可以训。然妾守志则可，或去或终，当归二子。"部使者季衍览之，击节曰："九州三十三县令之最也！"

【译文】

宋朝时，六安县（今六安市）有一个人宠爱小妾，临终时留下遗嘱说财产由小妾与两个儿子均分。两个儿子则认为妾没有分财产的道理，就告到官府。杜杲在判决的公文上写道："《左传》上说'儿子应遵从父亲的命令'，萧何制定的《律法》规定'不得违反父亲的命令'，可见父亲的话就是命令。儿子违反父亲的命令，不可以认为是对的。但侍妾能守节不再改嫁就可以分得财产，如果侍妾改嫁或去世，财产就归两个儿子所有。"刑部使者季衍看了，以手拍案赞赏说："这是九州三十三县中最公正的判决！"

## 7.蔡京

【原文】

蔡京在洛。有某氏嫁两家，各有子；后二子皆显达，争迎养其母，成讼。执政不能决，持以白京。京曰：“何难？第问母所欲。”遂一言而定。

【译文】

北宋权相蔡京在洛阳当官时，有一名女子曾先后嫁给两家，都生有一个儿子；后来两家的儿子都发达了，争着迎接母亲去奉养，并因此打起官司来。执政官不能决断，就来问蔡京。蔡京说：“这有什么困难？问那个母亲想去哪个儿子家就好了。”一句话就解决了问题。

## 8.曹克明

【原文】

克明有智略，真宗朝累功官融、桂等十州都巡检。既至，蛮酋来献药一器，曰：“此药凡中箭者傅之，创立愈。”克明曰：“何以验之？”曰：“请试鸡犬。”克明曰：“当试以人。”取箭刺酋股而傅以药，酋立死，群蛮惭惧而去。

【译文】

曹克明很有智慧谋略，在宋真宗时多次立功，先生担任融、桂等十州都巡检的官职。到任后，蛮夷的酋长前来奉献一瓶药，说：“这种药，凡是中箭的敷一敷，创伤立刻痊愈。”曹克明说：“怎么验证药效呢？”酋长说：“可以用鸡狗来试验。”曹克明说："应当用人来试。"随即拿箭在酋长大腿上刺了一下，再用药敷，酋长立即死亡，其他酋长都惭愧恐惧地离去。

## 9.西门豹

【原文】

魏文侯时，西门豹为邺令，会长老问民疾苦。长老曰："苦为河伯娶妇。"豹问其故，对曰："邺三老、廷掾常岁赋民钱数百万，用二三十万为河伯娶妇，与祝巫共分其余。当其时，巫行视人家女好者，云'是当为河伯妇'，即令洗沐，易新衣。治斋宫于河上，设绛帷床席，居女其中。卜日，浮之河，行数十里乃灭。俗语曰：'即不为河伯娶妇，水来漂溺。'人家多持女远窜，故城中益空。"豹曰："及此时，幸来告，吾亦欲往送。"至期，豹往会之河上。三老、官属、豪长者、里长、父老皆会。聚观者数千人。其大巫，老女子也，女弟子十人从其后。豹曰："呼河伯妇来！"既见，顾谓三老、巫祝、父老曰："是女不佳，烦大巫妪为入报河伯：更求好女，后日送之。"即使吏卒共抱大巫妪投之河。有顷，曰："妪何久也？弟子趣之！"复投弟子一人河中。有顷，曰："弟子何久也？"复使一人趣之，凡投三弟子。豹曰："是皆女子，不能白事。烦三老为入白之。"复投三老。豹簪笔磬折，向河立待，良久，旁观者皆惊恐。豹顾曰："巫妪、三老不还报，奈何？"复欲使廷掾与豪长者一人入趣之。皆叩头流血，色如死灰。豹曰："且俟须臾。"须臾，豹曰："廷掾起矣！河伯不娶妇也！"邺吏民大惊恐，自是不敢复言河伯娶妇。

评：娶妇以免溺，题目甚大。愚民相安于惑也久矣，直斥其妄，人必不信。唯身自往会，簪笔磬折，使众著于河伯之无灵，而向之行诈者计穷于畏死，虽驱之娶妇，犹不为也，然后弊可永革。

【译文】

战国魏文侯时，西门豹担任邺县的县令，召集邺县年高而有名望的人，询问当地人民的疾苦之事。那些人回答说："老百姓发愁的事就是给河神娶亲。"西门豹问他们原因，那些人说："邺县的三老（掌管教化的官）、廷掾（县府的助理）每年向人们收取几百万的赋税，用二三十万为河伯娶亲，剩下的钱就和巫婆分了。娶亲时，巫婆到每户人家去查看，看到哪家的女儿长得漂亮，就说她'应当做河伯的新娘'，当即命令她沐浴，更换新衣。然后在河边搭建斋宫，围上红色的帐幕，里面铺上床席，把美女安置在里面。选好日子，就将床及床上的女子一起放到河中，漂流几十里就沉没了。民间传说：'如果不为河伯娶亲，河水就会泛滥成灾。'很多人家都带着女儿逃到远处去，所以城里越来越空。"西门豹说："到河伯娶亲的日子，希望你来告诉我，我也想要去送亲。"到了河伯娶亲的那天，西门豹到河边去，三老、官吏、地方乡绅、里长、父老都到了，围观的民众有好几千人。主持娶亲仪式的人是个年老的巫婆，她身后跟着十个女弟子。西门豹说："叫河伯的新娘子过来。"看过以后，西门豹回头对三老、巫婆及父老说："这个女子不漂亮，麻烦大巫婆去河里报告河伯：我们要再找一个更美的女子，后天送来。"当即就让几个吏卒抱起大巫婆，将她投进了河里。过了一会儿，西门豹说："大巫婆为什么去了这么久还没回来，派个弟子去催催她。"西门豹又让人投巫婆的一个弟子进河。过了一会儿，西门豹又说："怎么这个弟子也去了这么久？"于是西门豹又下令再将巫婆的一名弟子投进河里催她。前后总共投了三个弟子进河。西门豹说："这些人都是女子，说不清楚事情，还是麻烦三老前去说明一下。"西门豹又让人把三老投下河。西门豹面对河水恭恭敬敬地站着等候消息，过了很久，旁边围观的人都很惊恐。西门豹回头说："巫婆、三老都不回来报告消息，怎么办呢？"正打算派廷掾和另一个豪富前去催促，两人都跪下叩头，叩得头破血流，脸色一片灰白。西门豹说："好吧好吧，那就再等一会儿。"不久，西门豹说："廷掾起来吧，河伯不娶亲了。"邺县的官吏和民众都非常害怕，从此再也不敢提河伯娶亲的事了。

评：为了避免田地被水淹而为河伯娶亲，这个名目真是太大了。无知的百姓相信这样的谣言而且苟且偷安已经很长时间了，如果直接驳斥此事是虚妄的，老百姓一定不相信。只有亲自去参加娶亲盛会，又装出一副恭敬的模样，使众人明白根本不是什么河伯作祟，先前的行为都是骗人的，终于在怕死的情况下无计可施。这时就算有人赶他们去替河伯娶亲，也绝不敢再做，这样弊病才可以永久消除。

## 10.佛牙

【原文】

后唐明宗时，有僧游西域，得佛牙以献。明宗以示大臣，学士赵凤进曰："世传佛牙水火不能伤，请验其真伪。"即举斧碎之，应手而碎。时宫中施物已及数千，赖碎而止。

评：正德时，张锐、钱宁等以佛事蛊惑圣聪。嘉靖十五年，从夏言议，毁大善殿。佛骨、佛牙不下千百斤。夫牙骨之多至此，使尽出佛身，佛亦不足贵矣！诬妄亵渎，莫甚于此，真佛教之罪人也！

【译文】

后唐明宗时，有一个僧人从西域游学归来，带回佛牙献给皇上。明宗将佛牙展示给大臣们看，学士赵凤进说："传说佛牙不会被水火破坏，请让臣验证它的真伪。”随即就拿起斧头敲击佛牙，佛牙立即就碎了。当时宫中收藏的佛家物品已达数千件，因佛牙破碎而从此不再收藏。

评：明武宗正德年间，太监张锐、钱宁等人用佛事迷惑武宗。到嘉靖十五年（1536），明世宗听从夏言的建议，拆毁大善殿，发现殿中收藏的佛骨佛牙不下千百斤。佛牙佛骨多到这种地步，假使都出自佛身，佛也就变得不珍贵了。诬蔑虚妄，亵渎神明，没有比这种情形更严重了。真是佛教的罪人啊！

## 11.妒女祠

【原文】

狄梁公为度支员外郎，车驾将幸汾阳，公奉使修供顿。并州长史李玄冲以道出妒女祠，俗称有盛衣服车马过者，必致雷风，欲别开路。公曰：“天子行幸，千乘万骑，风伯清尘，雨师洒道，何妒女敢害而欲避之？”玄冲遂止，果无他变。

【译文】

唐朝时，狄梁公（狄仁杰）担任度支员外郎时，天子的车驾将到达汾阳，狄梁公让人修整道路，预备皇帝沿途食用、休息诸物。并州长史李玄冲认为这条路经过妒女祠，民间传言只要有盛装车马的人经过这里，一定会召来雷电风雨，因此他打算另外修一条路。狄梁公说：“天子驾临，大批车驾人马跟随，风伯为他清理尘垢，雨神为他洗刷道路，什么妒女不想着避让而敢伤害天子？”李玄冲于是打消了另外修路的念头，果然没有什么特别的事发生。

# 威克卷八

【原文】

履虎不咥，鞭龙得珠。岂曰溟涬，厥有奇谋。集《威克》。

【译文】

踏住老虎的尾巴，它就不能再咬伤人；鞭打大龙的身躯，它就会吐出腹中的宝珠。智者并不需要神仙相助，因为他懂得运用谋略。集此为《威克》卷。

## 1.侯生

【原文】

夷门监者侯嬴，年七十余，好奇计。秦伐赵急，魏王使晋鄙救赵，畏秦，戒勿战。平原君以书责信陵君，信陵君欲约客赴秦军，与赵俱死。谋之侯生，生乃屏人语曰："嬴闻晋鄙兵符在主卧内，而如姬最幸，力能窃之。昔如姬父为人所杀，公子使客斩其仇头进如姬。如姬欲为公子死无所辞，顾未有路耳。公子诚一开口，如姬必许诺，则得虎符。夺晋鄙军，北救赵而西却秦，此五霸之功也！"公子从其计，请如姬。如姬果盗符与公子。公子行，侯生曰："将在外，主令有所不受。公子即合符，而晋鄙不授公子兵而复请之！事必危矣！臣客屠者朱亥可与俱，此人力士，晋鄙听，大善，不听，可使击之！"于是公子请朱亥，朱亥笑曰："臣乃市井鼓刀屠者，而公子亲数存之，所以不报谢者，以为小礼无所用。今公子有急，此乃臣效命之秋也！”遂与公子俱。公子至邺，矫魏王令代晋鄙兵。晋鄙合符，果疑之，欲无听，朱亥袖四十斤铁椎椎杀晋鄙。

公子遂将晋鄙兵进，大破秦军。

评：信陵邯郸之胜，决于椎晋鄙；项羽巨鹿之胜，决于斩宋义。夫大将且以拥兵逗留被诛，三军有不股栗愿死者乎？不待战而力已破矣。儒者犹以擅杀议刑，是乌知扼要之策乎！

【译文】

战国时，魏国有一个在夷门监守城门的人叫侯嬴，已经七十多岁，好出奇谋异策。秦国派兵包围赵国时，赵国危急，魏王派将军晋鄙率军救赵，但又害怕秦国，便让晋鄙屯兵边界，不忙着出战。赵国平原君见救兵不来，就写信责备魏信陵君。信陵君无法说动魏王出兵，打算自己邀集门人前去攻秦，决心与赵国共存亡。信陵君和侯生商量这件事，侯生屏退其他人，对他说：“我听说晋鄙的兵符放在魏王的寝宫里，而如姬最得魏王宠爱，可以偷得兵符。以前她父亲被人杀害，公子派门客斩了那仇人的头进献给如姬。如姬感激公子，想舍身相报，一直苦无机会。只要公子开口请如姬帮忙，如姬一定会答应，公子就能得到兵符，夺得晋鄙的军队，北救赵，西抗秦，建立与五霸相同的功业。”信陵君听从侯生的计谋，请求如姬帮忙，如姬果然偷了晋鄙的兵符给信陵君。信陵君将要出发时，侯生说：“将在外，君令有所不受。即使你手中的兵符相合，而晋鄙却不交给你兵权，再次向魏王请示，情况就危险了！我有一个叫朱亥的屠夫门客可与你同行，这个人是个大力士，如果晋鄙肯交出兵权，那最好；假使他不肯交出兵权，就让朱亥击杀他。”于是信陵君去邀请朱亥随行，朱亥笑着说：“我只是个在市井挥刀卖肉的屠夫，公子却多次亲自前来关怀，我之所以没有答谢公子，是因为微小的礼物没什么用。现在公子有急事，正是我朱某效命出力的大好时机。”于是跟信陵君一起出发。信陵君到达邺郡，就假传魏王的命令，要接替晋鄙指挥军队。晋鄙虽合了兵符，但心中仍感到怀疑，不想交出兵权，正准备出言拒绝时，朱亥从袖中拿出一把四十斤重的大铁椎，一椎就把晋鄙当场打死。

信陵君于是接管了晋鄙的军队，后来大败秦军。

评：信陵君之所以能完成救赵使命，关键在于能当机立断椎杀晋鄙；而项羽之所以能在巨鹿取得胜利，关键在于毅然决定杀死宋义。大将拥重兵而逡巡不前，势必招来杀身之祸；三军将士战志激昂，不必交战敌人就会闻风丧胆。有些儒者认为信陵君、项羽的做法，未免有些草菅人命，因而主张应该论以刑责，其实，这些儒者哪里懂得掌握先机的关键策略呢？

## 2.班超

【原文】

窦固出击匈奴，以班超为假司马，将兵别击伊吾，战于蒲类海，多斩首虏而还。固以为能，遣与从事郭恂俱使西域。超到鄯善，鄯善王广奉超礼敬甚备，后忽更疏懈。超谓其官属曰：“宁觉广礼意薄乎？此必有北虏使来，狐疑未知所从故也。明者睹未萌，况已著耶！”乃召侍胡，诈之曰：“匈奴使来数日，今安在？”侍胡惶恐，具服其状。超乃闭侍胡，悉会其吏士三十六人，与共饮。酒酣，因激怒之曰：“卿曹与我俱在西域，欲立大功以求富贵。今虏使到数日，而王广礼敬即废。如令鄯善收吾属送匈奴，骸骨长为豺狼食矣！为之奈何？”官属皆曰：“今危亡之地，死生从司马！”超曰：“不入虎穴，焉得虎子！当今之计，独有因夜以火攻虏，使彼不知我多少，必大震怖，可殄尽也。灭此虏，则鄯善破胆，功成事立矣！”众曰：“当与从事议之。”超怒曰：“吉凶决于今日，从事文俗吏，闻此必恐而谋泄，死无所名，非壮士也！”众曰：“善！”初夜，遂将吏士往奔虏营。会天大风，超令十人持鼓，藏虏舍后，约曰：“见火然后鸣鼓大呼。”余人悉持弓弩，夹门而伏。超乃顺风纵火，前后鼓噪。虏众惊乱。超手格杀三人，吏兵斩其使及从士三十余级，余众百许人，悉烧死。

明日乃还告郭恂，恂大惊，既而色动。超知其意，举手曰：“掾虽不行，班超何心独擅之乎？”恂乃悦。超于是召鄯善王广，以虏使首示之，一国震怖。超晓告抚慰，遂纳子为质，还奏于窦固。固大喜，具上超功效，并求更选使使西域。帝壮超节，诏固曰：“吏如班超，何故不遣而更选乎？今以超为军司马，令遂前功。”超复受使。

因欲益其兵，超曰：“愿将本所从三十余人足矣！如有不虞，多益为累。”是时于阗王广德新攻破莎车，遂雄张南道，而匈奴遣使监护其国。超既西，先至于阗。广德礼意甚疏，且其俗信巫，巫言神怒：“何故欲向汉？汉使有騧马，急求取以祠我！”广德乃遣使就超请马。超密知其状，报许之，而令巫自来取马。有顷，巫至，超即斩其首以送广德，因辞让之。广德素闻超在鄯善诛灭虏使，大惶恐，即攻杀匈奴使而降超。超重赐其王以下，因镇抚焉。

评：必如班定远，方是满腹皆兵，浑身是胆！赵子龙、姜伯约不足道也。

辽东管家庄，长男子不在舍，建州虏至，驱其妻子去。三数日，壮者归，室皆空矣。无以为生，欲佣工于人，弗售。乃谋入虏地伺之，见其妻出汲，密约夜以薪积舍户外焚之，并积薪以焚其屋角。火发，贼惊觉，裸体起出户，壮者射之，贼皆死。挈其妻子，取贼所有归。是后他贼惮之，不敢过其庄云。此壮者胆勇，一时何减班定远？使室家无恙，或佣工而售，亦且安然不图矣。人急计生，信夫！

【译文】

东汉永平十六年（73），奉车都尉窦固率兵攻打匈奴时，任命班超为代理司马，另率一支部队攻打伊吾（今新疆哈密），班超与匈奴军大战于蒲类海，斩杀匈奴许多将领。窦固认为班超很有才能，就派他与从事郭恂一起出使西域。班超到鄯善（楼兰）时，鄯善王特别热情地接待了他们，后来突然变得很冷淡。班超就对部下说："你们不觉得鄯善王对我们很冷淡吗？一定是有匈奴使者到来，鄯善王拿不定主意要亲善哪一方。一个善于观察事物的人，在事故还未发生前就能感觉到，如今事态如此明显，我岂能看不出来？"于是，班超召见鄯善的侍卫官，套他的话说："匈奴使者已经来了几天了，现在被安排在哪里呢？"侍卫官听了十分害怕，只好一一据实回答。班超把侍卫官关了起来，召集所有的三十六个部属，一起饮酒，大家酒兴正浓时，班超乘机慷慨激昂地说："诸位跟我一同来到西域，是想建大功求得个人富贵。现在匈奴使者才来几天，鄯善王对我们的态度就变得这么冷淡，如果鄯善王把我们交给匈奴，那我们岂不是要被拿去喂豺狼了吗？诸位看这事该怎么办？"部属一听，立即一致表示："如今我们身陷危亡险地，是生是死一切全听从司马的指挥。"班超说："常言道：'不入虎穴，焉得虎子！'为今之计，只有在半夜火攻匈奴使者，让他们摸不清我们有多少人，他们必定十分恐惧，咱们可乘机将他们一举消灭。只要除去匈奴使者，鄯善王就不敢再亲近匈奴，我们自然能建功立业了。"部属说："此事应当跟从事郭恂商量再做决定。"班超生气地说："成败就在今晚，郭恂是文官，万一他听了这项计划，由于害怕而泄露机密，反而会坏了大事。人死的没有价值，就不算英雄好汉了！"众人纷纷说："好！"当夜，班超就带领部属朝匈奴营帐奔去。刚好当天夜里起了大风，班超让十个部属拿着鼓，藏在匈奴使者的营地后面，约定说："看见起火了就敲鼓大喊。"其他部属都拿上弓箭，埋藏在匈奴使者营地大门的两边。部署完毕，班超顺着风势放火，指挥鼓兵击鼓。匈奴使者听到鼓声，又见熊熊火光，莫不惊慌失措，纷纷夺门往外逃，班超亲手杀死三人，其他部属射杀三十多人，其余一百多人都被大火烧死。

天亮后，班超把夜袭匈奴营地的事情告诉郭恂，郭恂大为惊讶，然后面露嫉妒之色。班超明白郭恂的心意，举起手说："你虽没有参加昨夜的战役，但我班超又岂会独居其功。"郭恂顿时又面露喜色。班超再要求见鄯善王，并把匈奴使者的头颅拿给他看。消息传出，鄯善国朝野为之震惊，这时班超极力安抚开导鄯善王，终于说动他以王子为人质与东汉朝廷修好，班超于是凯旋。窦固听了班超的报告非常高兴，详奏班超的功绩，并恳求朝廷另派使者前往西域。明帝对班超的胆识极表嘉许，于是诏令窦固："像班超这样的人才，理应任命为正式的西域使者，为什么还要奏请朝廷另选他人呢？现任命班超为军司马，以嘉勉他在西域所立的奇功。"班超于是又接受任命。

班超出任西域使者后，窦固本想增加班超手下的兵力，班超却说："我只要带领以前的三十多人就足够了，如果遭遇不测，人多反而麻烦。"当时于阗王刚刚攻占莎车，正想向南扩张势力，而匈奴却派使者来，准备保护莎车。班超到达西域后，首先来到于阗。不料于阗王对他们态度冷淡。于阗风俗笃信巫术，巫师说神正在发怒："我们为什么要投靠汉朝？汉使有匹浅黑色的马，快快取来献祭给我。"于阗王立刻派人向班超要马，班超秘密得知了对方意图，答应贡献出马，但要让巫师自己来取马。不一会儿，巫师果然亲自来到，班超当即将巫师的头砍下送回给于阗王。于阗王早就听说班超在鄯善国杀死匈奴使者的事，十分惶恐，立即自动派兵围杀匈奴使者，并向班超请降。班超为了安抚于阗君臣，赏赐他们许多礼物。

评：像定远侯班超这样，才称得上是满腹皆兵，浑身是胆。至于三国时代的赵云（三国蜀汉人，字子龙，勇敢善战，刘备称他一身是胆）、姜维（三国蜀汉人，字伯约，诸葛亮死后曾多次率兵伐魏，据说死后人视其胆大如斗）等这类人物比起班超实在是差远了。

辽东有个管家庄，有一天庄主不在庄子里，女真人乘机袭击庄子，并俘虏了他的妻子儿女。三四天后，庄主回家，发现家中财物和妻子儿女都不见了。为了生存，他想去替人帮佣，但没有人雇他。他悄悄来到那群贼人的营地等待机会，正巧碰上在井边汲水的妻子，两人约定在屋外堆积柴薪，半夜他在屋外放火，妻子就可趁乱带儿女逃跑。到了半夜他点火烧屋，火势很快就蔓延开来，贼人惊慌失措，有些贼人甚至裸着身体逃命，这时他就堵在营门口将贼人一一射杀。直到贼人全部死光，才带领妻子儿女及贼人所虏获的财物一起回家。消息传出后，其他贼人闻之丧胆，再也不敢抢劫管家庄。这位庄主的胆识与机智，和班超相比可以说丝毫不逊色。假使这位庄主家园未遭洗劫，或者他为了生活卖身为奴，或许就会因环境安逸而不想另有作为。人在紧急时，会突然想到克服危难的办法，确实如此啊！

## 3.耿纯

【原文】

东汉真定王扬谋反，光武使耿纯持节收扬。纯既受命，若使州郡者至真定，止传舍。扬称疾不肯来，与纯书，欲令纯往。纯报曰："奉使见侯王牧守，不得先往，宜自强来！"时扬弟让、从兄绀皆拥兵万余。扬自见兵强而纯意安静，即从官属诣传舍，兄弟将轻兵在门外。扬入，纯接以礼，因延请其兄弟。皆至，纯闭门悉诛之。勒兵而出，真定震怖，无敢动者。

【译文】

东汉光武帝二年(26)时，真定王刘扬起兵谋反，光武帝派耿纯持兵符逮捕刘扬。耿纯接受诏命后，装得好像是巡视各州的使者去真定，只到驿舍。刘扬称病不肯前来拜见，只写了一封信给耿纯，希望耿纯能到他的住所去。耿纯回复说："我是奉了皇命的特使，前来接见你，怎能到你住所，我看你还是抱病勉强来一趟官舍吧。"当时刘扬的弟弟刘让和堂兄刘绀各自拥兵万人，刘扬盘算着自己兵多气盛，而耿纯又丝毫没有交战的意图，就从部署来到官舍，让兄弟们率兵在官舍外等候。刘扬入屋后，耿纯很客气地接待了他，并邀请他的兄弟进屋，等他们都到齐后就关上门把他们全部斩杀，然后率兵而出，整个真定都十分震惊害怕，没有人再敢蠢蠢欲动。

## 4.温造

【原文】

宪宗时，戎羯乱华，诏下南梁起甲士五千人，令赴阙下。将起，师人作叛，逐其帅，因团集拒命岁余。宪宗深以为患。京兆尹温造请以单骑往。至其界，梁人见止一儒生，皆相贺无患。及至，但宣召敕安存，一无所问。然梁师负过，出入者皆不舍器杖，温亦不诫之。他日毬场中设乐，三军并赴。令于长廊下就食，坐宴前临阶南北两行，设长索二条，令军人各于向前索上挂其刀剑而食。酒至，鼓噪一声，两头齐力抨举其索，则刀剑去地三丈余矣。军人大乱，无以施其勇，然后合户而斩之。南梁人自尔累世不复叛。

【译文】

唐宪宗时，戎羯等蛮族扰乱边境，宪宗命南梁征兵五千人入京。军队出发前，士兵们突然造反，罢黜了原来的元帅，并且集体抗命长达一年多。这件事让宪宗十分苦恼。京兆尹温造奏请宪宗准他只身前去招抚叛军。温造抵达南梁边境后，南梁兵见他不过是个书生，感觉不会有事，都相互道贺。温造到南梁的营地后，除了宣读皇帝的敕命，没有问任何事。当时南梁兵往来出入，兵器都不离手，温造目睹这情形也不加禁止。一天，温造在毬场设宴，所有士兵都前往赴宴。温造让士兵坐在长廊下吃饭，入席前面靠台阶的南北方向，各架设两根长索，下令士兵先将随身兵器挂在面前的绳索上再入座。等酒菜送来时，只听得唐兵突然一声大喝，将绳索的两头用力抖动，于是刀剑纷纷弹出三丈多外。南梁兵立即慌了手脚，手中缺少兵器，根本招架无力，被温造的人全部斩杀。自此以后，南梁人世代不敢再反叛。

## 5.杨素

【原文】

杨素攻陈时，使军士三百人守营。军士惮北军之强，多愿守营。素闻之，即召所留三百人悉斩之。更令简留，无愿留者。又对阵时，先令一二百人赴敌，或不能陷阵而还者，悉斩之。更令二三百人复进，退亦如之。将士股栗，有必死之心，以是战无不克。

评：素用法似过峻，然以御积惰之兵，非此不能作其气。夫使法严于上，而士知必死，虽置之散地，犹背水矣。

【译文】

杨素攻打陈国时，要留三百名士兵留营守卫。隋兵害怕迎战强大的北朝军队，纷纷要求留营守卫。杨素得知士兵怕战的心理，就召来自愿留营的三百人，将他们全部处决，然后再下令征求留营者，再也没有人敢留营。到对阵作战时，杨素先派一两百名士兵与敌人交战，凡是不能尽力冲锋陷阵苟且生还者，一律予以处死，然后再派两三百人进攻，退败的同样处死。将士目睹杨素的治军之道，无不心存警惧，人人抱必死之心，于是与敌人作战，没有不大获全胜的。

评：杨素带兵看似过于严苛，但统领怠惰成性的士兵，非严法不能提振士兵气势。如果带兵者立法严苛，士兵深知兵败难逃一死的道理，那么即使在自己领地内作战，也犹如背水一战了。

## 6.吕公弼

【原文】

公弼，夷简子，其治成都，治尚宽，人嫌其少威断。适有营卒犯法，当杖，扞不受，曰："宁以剑死！"公弼曰："杖者国法，剑者自请。"为杖而后斩之，军府肃然。

【译文】

宋朝时，吕夷简的儿子吕公弼治理成都时，由于为政宽松，人们嫌他处理政务不够威严果断。正好有一名小兵犯法，应该被杖责，却拒绝接受，小兵说："我宁可被杀。"吕公弼说："杖责是按国法，处死是你自愿。"于是下令先打后斩，从此军士们对吕公弼都十分恭敬。

## 7.张咏（三条）

【原文】

张咏在崇阳，一吏自库中出，视其鬓旁下有一钱，诘之，乃库中钱也。咏命杖之，吏勃然曰："一钱何足道，乃杖我耶！尔能杖我，不能斩我也！"咏举判云："一日一钱，千日千钱，绳锯木断，水滴石穿！"自仗剑下阶斩其首，申府自劾。崇阳人至今传之。

咏知益州时，尝有小吏忤咏，咏械其颈。吏恚曰："枷即易，脱即难！"咏曰："脱亦何难！"即就枷斩之，吏俱悚惧。

评：若无此等胆决，强横小人，何所不至！

贼有杀耕牛逃亡者，公许自首。拘其母，十日不出，释之；再拘其妻，一宿而来。公断曰："拘母十夜，留妻一宿，倚门之望何疏！结发之情何厚！"就市斩之。于是首身者继至，并遣归业。

评：袁了凡曰："宋世驭守令之宽，每以格外行事，法外杀人。故不肖者或纵其恶，而豪杰亦往往得借以行其志。今守令之权渐消，自笞十至杖百仅得专决，而徒一年以上，必申请待报，往返详驳，经旬累月。于是文案益繁，而狴犴之淹系者亦多矣！"子犹曰："自雕虫取士，资格困人，原未尝搜豪杰而汰不肖，安得不轻其权乎？吾于是益思汉治之善也。"

【译文】

宋朝人张咏在崇阳为官时，有一天，他发现一名从府库中出来的官员的鬓发下夹着一枚钱币，经质问后，官员承认那是府库的钱币。张咏命人杖打这名官员，官员生气地说："一枚钱币有什么了不起，竟然要杖打我！你也只敢打我，不敢杀我！"张咏提笔判道："一天取一枚钱，一千天就是一千枚钱，时间久了，即使绳索也能锯断木条，滴水也能贯穿石块。"于是他亲自拿剑下堂斩下那名官员的头，然后到府衙自我弹劾、陈述罪状，这件事至今还被崇阳百姓津津乐道。

张咏担任益州知府时，有一名小吏大胆冒犯他，张咏命人给他戴上刑具，小吏生气地叫道："你要我戴上刑具容易，但要我脱下就难了。”张咏说：“脱下有什么困难的呢？”当即砍下仍戴着枷锁的小吏的脑袋。所有官吏都十分震惊恐惧。

评：世上若少了这些有胆量、能果断的官员，强横小人更会无所不为了。

有一个贼人误杀了一头耕牛，畏罪逃逸，张咏答允贼人如果前来自首就不再追究此事。贼人不肯，张咏就扣留贼人的母亲，十天也没等到贼人前来自首；就下令释放他的母亲，又再扣留他的妻子，只隔了一个晚上，贼人就前来自首。张咏判道：“拘留母亲十天不如扣留妻子一夜，为什么母子之情如此淡薄，夫妻之情却如此深厚？”于是在市集处斩杀贼人，其他被判死罪者听说这事，纷纷前来自首。张咏也实践诺言，放他们回去种田。

评：袁了凡曾说：“宋朝对官员的管制很宽松，官员常能视当时状况，不按律法行事，因此一些品行差的官员往往会仗权横行，然而一身正气的官员也往往能借权伸张正义。时至今日，官员权限日益削减，对于人犯只能判处十到一百的鞭打，至于一年以上的徒刑，就必须申报上级，公文的往返又得耗上数十天，甚至好几个月。于是文书更加繁重，而狱中也就人满为患了。”我认为：“自从以八股取士后，用官的资格受到种种限制，但并没有因此拔取英才，同时淘汰不肖者，所以怎么不日益削减官吏的权限呢？看到这种情形，我更加怀念汉朝盛世的时代了。”

## 8.杨守礼

【原文】

嘉靖间，直隶安州值地震大变，州人乘乱抢杀，目无官法。上司闻风畏避，莫知所出。杨少保南涧公家食已二十余年矣，先期出示，晓以朝廷法律。越二日，乱如故，公乃升牛皮帐，用家丁，率地方知事者击斩首乱四人，悬其头于城四门，乱遂定。

评：李彦和云："公虽抱雄略，倘死生利害之念一萌于中，则不在其位而欲便宜行事，浩然之气不索然馁乎？此豪杰大作用，难与拘儒道也。"

【译文】

明朝嘉靖年间，直隶安州发生大地震，一些州人趁乱杀人抢夺财物，无视官府律法的存在。州官害怕暴乱殃及自身，逃得不知所踪。杨少保南涧公（杨守礼）致仕居家已经有二十多年了，让人张贴告示，向民众解释朝廷律法。过了两天，暴乱仍旧没有平息，杨公就架起牛皮帐，率领家丁，会同地方知事者，联合斩杀了为首暴动的四个人，并把他们的脑袋分别悬挂在四个城门上，暴乱才平息。

评：李彦和云："杨守礼虽有雄才伟略，但假如心中存有一丝死生利害的念头，就不能做到身无任何官职而行官员之事，那么那股代表正义的浩然之气也就难以显现了。像杨公这等英雄豪杰起到的大作用，很难和固执不知变通的儒生谈论。"

## 9.窦建德

【原文】

夏主窦建德微时，有劫盗夜入其家。建德知之，立户下，连杀三盗。余盗不敢入，呼取其尸。建德曰："可投绳下系取去。"盗投绳而下，建德乃自系，使盗曳出，捉刀跃起，复杀数盗。由是益知名。

评：以诛盗为戏。

【译文】

隋朝自立为夏王的窦建德年轻时，有一天夜里盗匪闯入他家。窦建德发觉后，站在窗下，接连杀了三名盗匪。其他盗匪一见，吓得不敢进屋，只在屋外恳求将他们同伴的尸体还给他们。窦建德说："你们丢下绳索，让我绑上尸首呀。"盗匪扔下绳索，窦建德却将绳索绑在自己身上，当盗匪用力拉过墙头时，窦建德立即反身跳起，就这样又杀了好几名盗匪。从此窦建德声名更盛了。

评：将杀强盗当开玩笑一样。

## 10.李福

【原文】

唐李福尚书镇南梁。境内多朝士庄产，子孙侨寓其间，而不肖者相效为非。前牧弗敢禁止，闾巷苦之。福严明有断，命织篋笼若干，召其尤者，诘其家世谱第、在朝姻亲，乃曰："郎君借如此地望，作如此行止，毋乃辱于存亡乎？今日所惩，贤亲眷闻之必快！"命盛以竹笼，沉于汉江，由是其侪惕息，各务戢敛。

【译文】

唐朝尚书李福镇守南梁时，境内有许多朝廷官员的产业及后裔，州中无赖争相为这些贵族子弟效命，在境内胡作非为。前任太守不敢管他们，弄得老百姓苦不堪言。李福做事严明果断，命人编了几个竹笼，召来为恶最多的贵族子弟，盘问他的家世谱系，及现今仍在朝做官的亲戚族人，接着说："你的身世如此显赫，却做出这等败坏门风的事，不怕辱没祖先吗？今天对你的惩罚，你的家人听到后一定会很高兴。"于是命人将该子弟装入竹笼，沉入江中，从此其余子弟们各自警惕，收敛行迹。

# 识断卷九

【原文】

智生识，识生断。当断不断，反受其乱。集《识断》。

【译文】

有智慧，才能对事物有更深入的观察与了解，才能做出更正确的判断。在当机立断时不能果断做决定，反而会受到伤害。集此为《识断》卷。

## 1.齐桓公

【原文】

宁戚，卫人，饭牛车下，扣角而歌。齐桓公异之，将任以政。群臣曰："卫去齐不远，可使人问之，果贤，用未晚也。"公曰："问之，患其有小过，以小弃大，此世所以失天下士也！"乃举火而爵之上卿。

评：韩、范已知张、李二生有用之才，其不敢用者，直是无胆耳。孔明深知魏延之才，而又知其才之必不为人下，故未免虑之太深，防之太过，持之太严，宁使有余才，而不欲尽其用，其不听子午谷之计者，胆为识掩也。呜呼，胆盖难言之矣！［魏以夏侯楙镇长安，丞相亮伐魏，魏延献策曰："楙怯而无谋，今假延精兵五千，直从褒中出，循秦岭而东，当子午而北，不过十日，可到长安。楙闻延奄至，必弃城走，比东方相合，尚二十许日。而公从斜谷来，亦足以达。如此则一举而咸阳以西可定矣！"亮以为危计，不用。］

任登为中牟令，荐士于襄主曰瞻胥己，襄主以为中大夫。相室谏曰："君其耳而未之目也？为中大夫若此其易也！"襄子曰："我取登，既耳而目之矣，登之所取，又耳而目之，是耳目人终无已也。"此亦齐桓之智也。

【译文】

宁戚是卫国人，在喂牛时，喜欢敲打牛角唱歌。齐桓公觉得他很特别，准备给他官做。大臣们却劝阻说："卫国离齐国并不远，不如先派人打听他的为人，如果他确实贤能，再任用也不迟。"齐桓公说："去打听，就可能因为他有小缺点，而因小弃大，这就是如今的君王总是得不到天下智士的原因。"于是，齐桓公当天晚上就拜宁戚为上卿。

评：明朝人韩、范虽然知道张、李二人是可重用的人才，却不敢用，就是因为胆小；三国时的诸葛亮虽深知魏延的才干，但又知道以魏延不会甘心屈居人下，因此顾虑太深，防范太多，戒备太严，宁可只借重魏延的余才，却不敢让他完全发挥。当初孔明不肯采纳魏延所提子午谷的计策，就是由于孔明的胆气被识虑所蒙蔽。唉！看来"胆"这个字，还真不是三言两语就能说得清楚的。[魏派夏侯楙镇守长安，蜀相孔明企图发兵征魏。当时魏延曾献计："夏侯楙懦弱无能，如果丞相能拨给我精兵五千，我可立刻从褒中绕秦岭东进，然后再从子午谷北行，不用十天，就可攻取长安，夏侯楙见我来攻，定会弃城而逃，这时即使魏国派驻守东方的军队前来救援，他们也必须行军二十天才能到达。如果丞相从斜谷出兵，更可一举收取咸阳以西之地。"但当时诸葛亮认为这个计划太危险，没有采纳。]

任登当中牟令时，曾向襄王推荐一个叫瞻胥己的人，襄王任命这个人为中大夫。相国劝阻说："大王只是听别人说这人有才干，自己却没有亲眼看见，怎能轻易相信而草率任用呢。"襄王说："我任用王登，是既耳闻又目见了，如果对王登推荐的人又要耳闻又要目见，这样的耳闻和目见真是没完了。”赵襄王和齐桓公可说是具有同样的智慧。

## 2.卫嗣君

【原文】

卫有胥靡亡之魏，嗣君以五十金买之，不得，乃以左氏[地名]易之。左右曰：“以一都买一胥靡，可乎？”嗣君曰：“治无小，乱无大。法不立，诛不必，虽有十左氏无益也；法立诛必，虽失十左氏，无害也。”

【译文】

卫国有一个服劳役的犯人逃亡到魏国，卫嗣君要用五十金买回这个犯人，魏国不答应，卫嗣君就用卫国的左氏[地名]来交换。侍臣说：“用左氏来交换一名人犯，合适吗？”卫嗣君回答说：“法治没有小事，任何乱事都是大事。如果法不能守，律令不能执行，即使有十个左氏也没有用；律令能执行，虽用十个左氏来换也值得。”

## 3.高洋

【原文】

高洋内明而外晦，众莫知也。独欢异之，曰：“此儿识虑过吾！”时欢欲观诸子意识，使各治乱丝，洋独持刀斩之，曰：“乱者必斩！”

【译文】

北齐文宣帝高洋即位以前，内心清明但外表不显，大家都不知道，只有高欢看出他的不同，说：“此儿的智慧思虑更在我之上。”有一次高欢为测试儿子们对事物的应变能力，就交给每个儿子一把乱丝，要他们整理。当其他儿子在低头整理乱丝时，只有高洋拿起刀斩断乱丝，说：“乱了就只有斩断它。”

## 4.王素

【原文】

初，原州蒋偕建议筑大虫巉堡，宣抚使王素听之。役未具，敌伺间要击，不得成。偕惧，来归死。王素曰：“若罪偕，乃是堕敌计。”责偕使毕力自效。总管狄青曰：“偕往益败，不可遣！”素曰：“偕败，则总管行；总管败，素即行矣！”青不敢复言，偕卒城而还。

【译文】

宋朝时原州的蒋偕曾建议修筑大虫巉堡，当时担任宣抚使的王素听从了他的建议。然而城堡还没筑好，敌兵就已乘隙来攻，筑堡的事只好暂停。蒋偕非常害怕，于是弃堡回来向王素请罪。王素说：“如果将你治罪，就正中敌计。”于是，只督责蒋偕一定要尽全力完成筑堡的工程。总管狄青说：“再派蒋偕只会失败，千万不可以。”王素说：“如果失败，就派总管前去完成任务；总管再失败，我王素就继总管之后前去达成任务。”狄青听了，不敢再多话，蒋偕终于完成筑堡工程，安然而回。

## 5.种世衡

【原文】

种世衡既城宽州，苦无泉，凿地百五十尺，见石，工徒拱手曰："是不可井矣！"世衡曰："过石而下，将无泉邪？尔其屑而出之，凡一畚，偿尔一金！"复致力，过石数重，泉果沛然。朝廷因署为清涧城。

【译文】

宋朝人种世衡要修筑宽州城，苦恼找不到水源，凿地深达一百五十尺仍只见石块，工人拱手说："这地方不可能掘出泉水来！"种世衡说："凿开这层石块，还怕没有泉水呢？你们每挖一畚箕泥沙，我赔你们一锭金子！"工人于是再次奋力挖掘，从石层往下凿了没多深，泉水就源源涌出了，朝廷因此将这座城命名为"清涧城"。

## 6.韩浩

【原文】

夏侯惇守濮阳，吕布遣将伪降，径劫质惇，责取货宝。诸将皆束手，韩浩独勒兵屯营门外，敕诸将案甲毋动。诸营定，遂入诣惇所，叱劫质者曰："若等凶顽，敢劫我大将军，乃复望生耶！吾受命讨贼，宁能以一将军故纵若！"因涕泣谓惇曰："当奈国法何！"促召兵击劫质者，劫质者惶遽，叩头乞资物，浩竟捽出斩之，惇得免。曹公闻而善之，因着令：自今若有劫质者，必并击，勿顾质。由是劫质者遂绝。

【译文】

三国时魏国人夏侯惇担任濮阳太守时，吕布派手下的一个将领假装投降，乘机劫持夏侯惇为人质，然后向魏国索要大批的珠宝和黄金。众位将领都束手无策，只有韩浩一人率兵驻守营门外，命令诸将全副武装在一旁待命。部署完毕后，韩浩来到拘禁夏侯惇的营房，对劫持的人说："你们这些顽劣的凶徒，胆敢劫持大将军，你们还想活命吗？现在我奉命讨贼，又岂能为了保全大将军的命而答应你们的要求？”接着又哭着对夏侯惇说：“为了维护国法的尊严，我也是逼不得已。”说完，韩浩下令营外的军队攻击劫持人质的贼兵，贼兵十分惊慌，跪下来叩头索讨财物，韩浩一把将贼兵揪出营门外，将其斩杀，夏侯惇得以保全性命。曹操听说这件事后，称赞韩浩处理得当，并因此下令：以后若再有绑架人质的事件发生，一定要拿下劫匪，不必顾虑人质的安危，从此再也没有人劫持人质了。

## 7.寇恂

**【原文】**

高峻久不下，光武遣寇恂奉玺书往降之。恂至，峻第遣军师皇甫文出谒，辞礼不屈，恂怒，请诛之。诸将皆谏，恂不听，遂斩之。遣其副归，告曰：“军师无礼，已戮之矣。欲降即降，不则固守！”峻恐，即日开城门降。诸将皆贺，因曰：“敢问杀其使而降其城，何也？”恂曰：“皇甫文，峻之腹心，其所取计者也。今来辞意不屈，必无降心。全之则文得其计，杀之则峻亡其胆，是以降耳。”

评：唐僖宗幸蜀，惧南蛮为梗，许以婚姻。蛮王命宰相赵隆眉、杨奇鲲、段义宗来朝行在，且迎公主。高太尉骈自淮南飞章云：“南蛮心膂，唯此数人，请止而鸩之。”迄僖宗还京，南方无虞。此亦寇恂之余智也。

**【译文】**

东汉时，隗嚣部将高峻占据高平县（今高平市）第一城，迟迟不向光武帝称臣，于是光武帝派寇恂拿着谕旨前往招降。寇恂来到高峻的驻地，高峻先派军师皇甫文出面拜见寇恂，皇甫文言辞谦逊，但不投降的意态坚决，寇恂十分生气，命人处斩皇甫文。诸将纷纷劝阻，寇恂不听，于是皇甫文真被砍了头。寇恂派高峻的副将回去禀告说："军师态度无礼，已遭处斩，阁下若有归顺之意，请立即投降，不投降就请固守城门吧。"高峻听了十分惶恐，立即大开城门请降。诸将纷纷向寇恂道贺，并且问道："请问你杀了高峻的使者而高峻却请降了，是什么原因呢？"寇恂说："皇甫文是高峻的心腹大臣，高峻的一切行事都出自皇甫文的策划。日前皇甫文来时，言辞虽婉转，但丝毫没有归顺之心。如果不杀皇甫文，那么皇甫文的狡计就能得逞；杀了皇甫文，那高峻少了胆，就只有投降了。"

评：唐僖宗逃亡到四川成都时，害怕蛮人伺机骚扰，答应和蛮族联姻。蛮王命宰相赵隆眉、杨奇鲲、段义宗前来拜谒僖宗，并且迎娶公主。太尉高骈得知僖宗许婚之事，立即自淮南飞马传书，说："蛮王的心腹就只有这三人，请毒死这三个人。"直到僖宗回京，南方也一直平安无事。这也是寇恂一类的智慧。

## 8.姜绾

【原文】

姜绾以御史谪判桂阳州，历转庆远知府。府边夷，前守率以夷治。绾至，一新庶政，民獠改观。时四境之外皆贼窟。绾计先翦其渠魁，乃选健儿教之攻战，无何自成锐兵，贼盗稍息。

初，商贩者舟由柳江抵庆远。柳、庆二卫官兵在哨者，阳护之，阴实以为利。绾一日自省溯江归，哨者假以情见迫，遽讙言贼伏隩，沭绾陆行便。绾曰："吾守也，避贼，此江复何时行邪？"麾民兵左右翼，拥盖树帜，联商舟，徜徉进焉。贼竟不敢出。自是舟行者无所用哨。

评：决意江行，为百姓先驱水道，固是。然亦须平日训练，威名足以詟敌，故安流无梗。不然，尝试必无幸矣！

【译文】

明朝人姜绾由御史谪贬为桂阳州判，后转任庆远知府，治理边地夷民。前任知府完全以夷人治夷。姜绾到任后，革新政务，官民的作风完全改观。当时庆远府外四境都是贼穴，为了剪除贼首，姜绾于是挑选强健的男子，教导他们攻战防守的战术，没多久就成为一支骁勇善战的精锐部队，因此贼盗的气焰稍加收敛。

最初，商船的路线是由柳江直抵庆远。柳、庆二地分别安排有卫兵站哨警戒，然而卫兵表面上是在维护水道畅通，保障商船安全，暗中则向商人勒索牟利。一天姜绾自省城桂林搭船回庆远，哨兵谎称情况紧急，有贼兵埋伏岸边，劝姜绾改走陆路以保障安全。姜绾说："我身为庆远知府，却害怕贼人，那这条水道要到什么时候才能平安通行？"于是指挥民兵在左右护卫，联合其他商船徐徐向前推进。贼竟不敢出来作乱。从此以后这条水路就不用再设置哨兵了。

评：姜绾执意取道水路，为百姓做开路先锋，这本就属知府职责，但也是因他平日有足够的威仪能震慑贼人，才能平安无事。否则，轻易尝试必定不能幸免。

## 9.文彦博

【原文】

潞公为御史时，边将刘平战死。监军黄德和拥兵观望，欲脱己罪，诬平降虏，而以金带赂平奴，使附己。平家二百口皆冤系。诏彦博置狱河中。彦博鞫治得实。德和党援谋翻狱，已遣他御史来代之矣。彦博拒之，曰：“朝廷虑狱不就，故遣君。今狱具矣。事或弗成，彦博执其咎，与君无与也！”德和并奴卒就诛。

【译文】

宋朝人潞国公文彦博担任御史时，遇到边将刘平作战阵亡，而监军黄德和拥兵观望，为了替自己脱罪，还毁谤刘平投降胡人，贿赂刘平的部属，收买他们。刘平一族二百多人因此蒙冤入狱。宋仁宗命文彦博在河中设法庭进行审理。通过仔细审查，文彦博了解了事情的真相。黄德和的同党图谋推翻文彦博的审理结论，就设法请托指派其他的御史来代替文彦博。文彦博坚决不同意，对来接任的御史说：“朝廷是担心我无法做出判决，才派你来代替；现在我既然已经做出判决，如果有任何差误，我愿意承担一切过失和责任，同你没有任何关系。”最终，黄德和以及被他收买的刘平部属全部被处死。

## 10.吕端

【原文】

太宗大渐，内侍王继恩忌太子英明，阴与参知政事李昌龄等谋立楚王元佐。端问疾禁中，见太子不在旁，疑有变，乃以笏书“大渐”二字，令亲密吏趣太子入侍。

太宗崩，李皇后命继恩召端。端知有变，即绐继恩，使入书阁检太宗先赐墨诏，遂锁之而入，皇后曰：“宫车已晏驾，立子以长，顺也。”端曰：“先帝立太子，正为今日。今始弃天下，岂可遽违命有异议耶？”乃奉太子。真宗既立，垂帘引见群臣。端平立殿下，不拜，请卷帘升殿审视，然后降阶，率群臣拜呼“万岁”。

评：不糊涂，是识；必不肯糊涂过去，是断。

【译文】

宋太宗病重，内侍王继恩忌怕太子英明，暗中勾结参知政事李昌龄等人，图谋扶立楚王元佐为太子。吕端进宫探望宋太宗，见太子不在皇上身边，怀疑将有变乱，于是在手板上写上“病危”二字，命亲信拿着前去催促太子进宫服侍宋太宗。

宋太宗驾崩后，李皇后命王继恩召吕端入宫，吕端知道有变故发生，就骗王继恩进御书房，说要检视先皇遗墨诏命等物件，随即将王继恩反锁在御书房，这才入内宫。李皇后见到吕端，便对他说：“先皇已驾崩，立长子为帝才合于礼制。”吕端答：“先皇曾预立太子，为的就是在先皇百年后，太子能顺利继承帝位。今天先皇才崩逝，就遽然违抗先皇遗命，我怕会引起其他大臣的非议。”于是奉太子为帝，即宋真宗。真宗即位后，垂帘接见群臣。吕端直身站立不叩拜，请真宗卷起帘幕，然后登上殿阶仔细端详，看清楚的确是真宗本人，才走下殿阶，率百官高呼“万岁”。

评：平日不糊涂，是识；遇大事一定不肯糊涂搪塞过去，是断。

# 灵变卷十

【原文】

一日百战，成败如丝。三年造车，覆于临时。去凶即吉，匪夷所思。集《灵变》。

【译文】

一日之内进行上百次会战，胜负之机往往在一线之间。花三年时间造好一辆马车，往往因一刹那的疏忽而倾覆。洞见危机，趋吉避祸，难以想象。集此为《灵变》卷。

## 1.鲍叔牙

【原文】

公子纠走鲁，公子小白奔莒。既而国杀无知，未有君。公子纠与公子小白皆归，俱至，争先入。管仲扞弓射公子小白，中钩。鲍叔御，公子小白僵。管仲以为小白死，告公子纠曰："安之。公子小白已死矣！"鲍叔因疾驱先入，故公子小白得以为君。鲍叔之智，应射而令公子僵也，其智若镞矢也！

评：王守仁以疏救戴铣，廷杖，谪龙场驿。守仁微服疾驱，过江，作《吊屈原文》见志，寻为《投江绝命词》，佯若已死者。词传至京师，时逆瑾怒犹未息，拟遣客间道往杀之，闻已死，乃止。智与鲍叔同。

【译文】

齐国内乱，公子纠远走鲁国避难，公子小白投奔莒国。不久齐人杀国君公孙无知，齐国没了君主。公子纠与公子小白都动身回国，二人同时到达国内，争先入主朝廷。管仲开弓射公子小白，射中了公子小白的衣带钩；鲍叔牙让公子小白僵卧车上，管仲以为小白死了，就告诉公子纠说："从从容容地走吧，公子小白已经死了。"鲍叔牙乘机赶车快跑，首先进入朝廷，所以公子小白得以做国君。鲍叔牙急中生智，让公子小白顺箭而僵硬装死，这种应变的机智就像箭一般疾速。

评：王守仁为救戴铣，上奏武宗而被贬至贵州龙场驿。王守仁穿着便服前往驿场，过长江时作了一篇《吊屈原文》表明心志，又写一首《投江绝命词》，让人以为他已投江自尽。本来宦官刘瑾对王守仁怒气未消，打算派杀手半途劫杀王守仁，在京师看了王守仁所写的词、文，以为王守仁已死，便打消原意，王守仁因而保全一命。王守仁应变的机智和鲍叔牙是一样的。

## 2.管夷吾

【原文】

齐桓公因鲍叔之荐，使人请管仲于鲁。施伯曰："是固将用之也！夷吾用于齐，则鲁危矣！不如杀而以尸授之！"鲁君欲杀仲。使人曰："寡君欲亲以为戮，如得尸，犹未得也！"乃束缚而槛之，使役人载而送之齐。管子恐鲁之追而杀之也，欲速至齐，因谓役人曰："我为汝唱，汝为我和。"其所唱适宜走，役人不倦，而取道甚速。

评：吕不韦曰："役人得其所欲，管子亦得其所欲。"陈明卿曰："使桓公亦得其所欲。"

【译文】

齐桓公因为鲍叔牙大力推荐管仲，就派人到鲁国去请管仲。施伯对鲁庄公说："齐君一定会重用管仲。如果管仲为齐国效命，一定会威胁鲁国的安全，不如杀了管仲，把尸首交给齐君。"鲁庄公本已答应杀掉管仲，但齐国的使者对庄公说："我国的君王想亲手杀死管仲这个仇人，如果只是得到管仲的尸体，就跟没得到管仲一样。"于是，鲁庄公命人把管仲绑起来，用囚犯的槛车送往齐国。管仲害怕鲁君改变心意派人追杀，想尽快到达齐国，于是就对车夫说："我唱歌给你听，你为我和拍子。"一路上，管仲所唱的歌都是节拍轻快的，适合快步疾行的曲子，马夫精神大振，愈走愈快。

评：吕不韦说："管仲这一唱歌，车夫得到好处，忘了推车的辛劳；管仲自己得到更大的好处，平安快速地回到齐国。"陈明卿说："齐桓公也得到了好处，借助管仲成为春秋时第一位霸主。"

## 3.延安老军校

【原文】

宝元元年，党项围延安七日，邻于危者数矣。范侍御雍为帅，忧形于色。有老军校出自言曰："某边人，遭围城者数次，其势有近于今日者。虏人不善攻，卒不能拔。今日万万无虞！某可以保任。若有不可，某甘斩首！"范嘉其言壮人心，亦为之小安。事平，此校大蒙赏拔，言知兵善料敌者，首称之。或谓之曰："汝敢肆妄言，万一不验，须伏法！"校曰："若未之思也！若城果陷，谁暇杀我耶！聊欲安众心耳！"

【译文】

宋仁宗宝元元年（1038），党项人（西夏族）围攻延安城七日，好几次差点把延安攻陷。身为统帅的礼部尚书范雍对此十分担忧。有一个老军校自告奋勇去见范雍，说："我就住在这边境之地，以前也曾多次遭到敌人围攻，危急的情势和今天差不多。党项人不善攻城，最后还是被击退，今天也不会有什么闪失。这点我可以担保，如有任何闪失，我愿意接受死罪。"范雍对老校头的胆识大加赞许，军心也因为老校头这番话而逐渐稳定。乱事平定后，老军校因为善于预料战局发展，获得晋升和赏赐。有人对老军校说："你的胆子也太大了，万一敌兵不退，你的脑袋就没了。"老军校笑着说："我不担心这个，假使敌兵真的破城，人人逃命不及，谁有空杀我？当日那番话，不过是安定人心罢了。"

## 4.吴汉

【原文】

吴汉亡命渔阳，闻光武长者，欲归，乃说太守彭宠，使合二郡精锐附刘公击邯郸，宠以为然。官属皆欲附王郎，宠不能夺。汉乃辞出，止外亭，念所以谲众，未知所出。望见道中有一人似儒生者，使人召之，为具食，问以所闻。生言："刘公所过，为郡县所归。邯郸举尊号者实非刘氏。"汉大喜，即诈为光武书移檄渔阳，使生赍以诣宠，令具以所闻说之。汉随后入，宠遂决计焉。

【译文】

吴汉逃亡到渔阳，听说光武帝刘秀将回渔阳，就说服渔阳太守彭宠集合两郡的精锐部队，归附刘秀夹据在邯郸一带的王郎，彭宠赞同他的看法。彭宠的属下却都主张归附王郎，彭宠拿不定主意。吴汉只好告辞出去，到了外面的亭子便停了下来，考虑着如何使计改变众人的想法，不过还没有想出较好的计策来。正好看见远处道路中有一个儒生模样的人，吴汉就派人将他召唤过来，为他准备饭食，询问他一路上所听到的情形。这名儒生说："刘公经过的地方，那里的郡县都归附于他；而邯郸郡的那个打着皇帝尊号的人，其实并不姓刘。"吴汉大喜，当即伪造了光武帝的文书，发布文告晓谕渔阳郡，并派这名儒生携带着文书去见彭宠，让他将所听到的都向太守详细地汇报，吴汉又尾随其后进了郡衙。彭宠于是决定归附刘秀。

## 5.汉高帝

【原文】

楚、汉久相持未决。项羽谓汉王曰："天下汹汹，徒以我两人，愿与王挑战决雌雄，毋徒罢天下父子为也！"汉王笑谢曰："吾宁斗智，不能斗力！"项王乃与汉王相与临广武间而语。汉王数羽罪十，项王大怒，伏弩射中汉王，汉王伤胸，乃扪足曰："虏中吾指！"汉王病创卧，张良强起行劳军，以安士卒，毋令楚乘胜于汉。汉王出行军，病甚，因驰入成皋。

评：小白不僵而僵，汉王伤而不伤，一时之计，俱造百世之业。

【译文】

楚、汉两军对峙，迟迟不能决出胜负，项羽对刘邦说："天下纷扰不定，原因在于你我两人相持不下。我愿意和你单挑一决胜负，也省得天下人因为我们两人而送命。"刘邦笑着谢绝说："我宁可和你斗智，不想和你斗力。"于是项羽和刘邦在广武山隔军对话，刘邦举出项羽十条罪状，项羽听了大怒，举箭一射，正中刘邦前胸，刘邦却忍痛弯身摸脚说："哎呀，蛮子射中我脚了。"汉王因为伤势过重而卧床，张良却要他强忍创伤起来巡视军队，此举除了安定军心，更为了不让项羽乘机进攻拿下汉军。刘邦才一离开军营，便因伤重不支，立即快马返回成皋。

评：小白受管仲一箭，本来没有怎么伤，却佯作死亡；刘邦受项羽一箭，已经重伤，却佯作无事。两人都因一时机敏应变，成就日后百年基业。

## 6.晋明帝

**【原文】**

王敦将举兵内向。明帝密知之，乃乘巴賨骏马微行，至于湖，阴察敦营垒而出。有军人疑明帝非常人，又敦正昼寝，梦日环其城，惊起曰："此必黄须鲜卑奴来也！"[帝母荀氏，燕代人，帝状类外氏，须黄，故云。]于是使五骑物色追帝。帝亦驰去，见逆旅卖食妪，以七宝鞭与之，曰："后有骑来，可以此示！"俄尔追者至，问妪，妪曰："去已远矣！"因以鞭示之，五骑传玩，稽留良久，帝遂免。

**【译文】**

晋朝时，王敦准备举兵造反夺取帝位，明帝私下得知王敦的奸谋，于是换上便服骑马来到王敦的军营，暗中观察王敦军营部署的情形。有一个士兵怀疑明帝不是普通百姓，来向王敦报告。正好王敦在午睡，梦到太阳环绕着军营上空，惊叫着说："这一定是那个黄头发的鲜卑人来了。"[明帝母亲是鲜卑人，因此明帝发皆黄，长相像外国人。]于是王敦派了五名兵士快马加鞭追赶那名黄头发的人。明帝也快马离去，路过一家旅舍看到一个卖小吃的老妇人，便把手中镶着七种宝石的马鞭送给她，嘱咐道：“待会儿有骑着马的士兵前来，你可以把这马鞭拿给他们看。”不久，士兵追来，询问老妇人可曾见到一名黄头发的骑士经过。老妇说：“他已经走远了。”说完拿出马鞭给他们看，五名士兵轮流观看这罕见的宝物，因而耽搁不少时间，明帝也就逃过一劫。

## 7.尔朱敞

【原文】

齐神武韩陵之捷，尽诛尔朱氏。荣族子敞［字乾罗，彦伯子］小随母养于宫中。及年十二，自窦而走，至大街，见群儿戏，敞解所着绮罗金翠之服，易衣而遁。追骑寻至，便执绮衣儿，比究问，非是，会日暮，遂得免。

【译文】

北齐神武帝高欢在韩陵之役中，几乎杀光了尔朱氏一族。尔朱荣族中有一个叫敞的人［字乾罗，是彦伯的儿子］，从小随母亲在宫中长大，当时年仅十二岁，在混乱中由宫墙上的小洞逃走，来到大街，看见一群小孩当街嬉戏，尔朱敞就脱下自己穿的华服，和其中一名儿童交换衣服，然后混入人群中逃走。不久追兵来到大街，抓住那个穿着华丽的小孩，等到弄清楚那名孩子不是尔朱敞时，天色已黑，尔朱敞因而保全了性命。

## 8.王羲之

【原文】

王右军幼时，大将军甚爱之，恒置帐中眠。大将军尝先起，须臾，钱凤入，屏人论逆节事，都忘右军在帐中。右军觉，既闻所论，知无活理，乃剔吐污头面被褥，诈熟眠。敦论事半，方悟右军未起，相与大惊曰："不得不除之！"及开帐，乃见吐唾纵横，信其实熟眠，由是得全。

【译文】

王羲之年幼时，大将军王敦特别喜欢他，常让他在自己的屋中睡觉。有一次王敦先起床，不久钱凤进来，两人屏退其他人，商议谋反大计，但两人都忘了王羲之还睡在床上。王羲之醒来，听见王、钱二人谈话的内容，知道难逃一死，就用手指头抠出口水，弄脏了头脸和被褥，装作自己还在熟睡。王敦和钱凤话谈到一半，突然想起王羲之还没起床，看着床帐大惊道："不得不杀掉这个小鬼了。"等掀开床帐，看到王羲之满脸口水，相信他真的睡熟了，王羲之因而保住了性命。

## 9.吴郡卒

【原文】

苏峻乱，诸庾逃散。庾冰时为吴郡，单身奔亡。吏民皆去，唯郡卒独以小船载冰出钱塘口，以蘧蒢覆之。时峻赏募觅冰属，所在搜括甚急。卒泊船市渚，因饮酒醉还，舞棹向船曰："何处觅吴郡？此中便是！"冰大惊怖，然不敢动。监司见船小装狭，谓卒狂醉，都不复疑。自送过浙江，寄山阴魏家，得免。

后事平，冰欲报卒，问其所愿。卒曰："出自厮下，不愿名器，少苦执鞭，恒患不得快饮酒。使酒足余年，毕矣！无所复须。"冰为起大舍，市奴婢，使门内有百斛酒终其身。时谓此卒非唯有智，且亦达生。

【译文】

苏峻借着诛杀庾氏一族的名义举兵叛乱，大肆诛杀庾氏一族，庾姓诸人吓得四处逃散。庾冰当时担任吴郡太守，也弃官逃亡。吴郡的官员百姓都各自逃命，只剩一名小兵用船搭载庾冰出钱塘口，用竹苇编织成的席子盖在庾冰身上。当时苏峻到处张贴告示，重金悬赏紧急捉拿庾冰。小兵把船停在渡口后就进城买酒，喝得醉醺醺地回来，挥动着船桨指着船说："你们不是要找吴郡的庾冰吗，他就在这船上。"船上的庾冰听了大为惊慌，躲在粗席下连大气都不敢喘，监司看船舱狭窄，以为小兵酒后胡言，就不再理他。于是庾冰平安过江，藏身在山北的魏家。

苏峻叛乱被平定后，庾冰想要回报小兵，问他有什么愿望。小兵说："我出身低贱，不要官禄爵位，只是总担心不能痛快地喝酒。假使您能让我后半辈子都不愁没酒喝，我就再无所求。"于是庾冰为小兵盖了一幢大房子，买了奴婢来侍候他，屋中随时保持上百斛的美酒，让小兵一辈子不愁没酒喝。一般人在谈论这件事时，都认为这名小兵不但机智，也是个心性豁达的人。

## 10.沈括

【原文】

沈括知延州时，种谔次五原，值大雪，粮饷不继。殿值刘归仁率众南奔，士卒三万人皆溃入塞，居民怖骇。括出东郊饯河东归师，得奔者数千，问曰："副都总管遣汝归取粮，主者为何人？"曰："在后。"即谕令各归屯。未旬日，溃卒尽还。括出按兵，归仁至。括曰："汝归取粮，何以不持兵符？"因斩以徇。

评：括在镇，悉以别赐钱为酒，命廛市良家子驰射角胜。有轶群之能者，自起酌酒劳之。边人欢激，执弓傅矢，皆恐不得进。越岁，得彻札超乘者千余。皆补中军义从，威声雄他府。真有用之才也！

【译文】

宋朝人沈括治理延州时，种谔领兵临时驻扎在五原，当时正赶上延州下大雪，军队粮饷接继不上。殿值刘归仁率领兵士南下，三万多人都涌入延州，人们都十分害怕。沈括准备了食物，并亲自到河东送给河东归来的兵士，前来投奔的士兵有几千人，沈括问他们："副都督命派你们来延州领粮，领队是何人？"兵士答："随后到。"沈括命已领到米粮的士兵立刻返回驻地，不到十天，所有溃逃的士兵都已回营。等局势安稳下来，沈括才找来刘归仁，责问道："你带兵来取粮，兵符何在？"于是以此罪名斩了刘归仁。

评：沈括在镇守延州时，曾用皇帝所赐的钱购置好酒，邀集州内子弟参加马术、射箭、角力等比赛，优胜者沈括便亲自斟酒祝贺，众人见获胜时如此光荣，无不使出浑身解数，唯恐不能得胜。一年后，得到殊荣的好手有上千人，沈括皆把他们编入军队，因此延州军力较其他各州壮盛。沈括真是个可用之才啊！

# 应卒卷十一

【原文】

西江有水，遐不及汲。壶浆箪食，贵于拱璧。岂无永图，聊以纾急。集《应卒》。

【译文】

西江有滔滔不绝的水，却没有办法汲取以解除遥远之地的灾祸。一箪食一壶水，有时比璧玉还珍贵。人生难免有危难，正确地应变，才能化解突发的灾难。集此为《应卒》卷。

## 1.救积泽火

【原文】

鲁人烧积泽，天北风，火南倚，恐烧国，哀公自将众趋救火者。左右无人，尽逐兽，而火不救。召问仲尼，仲尼曰："逐兽者乐而无罚，救火者苦而无赏，此火之所以无救也。"哀公曰："善。"仲尼曰："事急，不及以赏救火者。尽赏之，则国不足以赏于人。请徒行罚！"乃下令曰："不救火者，比降北之罪；逐兽者，比入禁之罪！"令下未遍，而火已救矣。

评：贾似道为相，临安失火，贾时方在葛岭，相距二十里。报者络绎，贾殊不顾，曰："至太庙则报。"俄而报者曰："火且至太庙！"贾从小肩舆，四力士以椎剑护，里许即易人，倏忽即至。下令肃然，不过曰："焚太庙者斩殿帅！"于是帅率勇士一时救熄。贾虽权奸，而威令必行，其才亦自有快人处。

【译文】

春秋时，鲁国有人放火烧鲁国都城北边的沼泽，刚好天刮北风，火势向南蔓延，眼看国都将受到波及。哀公鼓励百姓参与救火，但百姓只愿意驱赶野兽，不愿救火。哀公召见孔子向他请教，孔子说：“驱赶野兽任务轻松又不会受到责罚，救火辛苦危险又没有奖赏，所以没有人愿意救火。”哀公说：“说得对。”孔子又说：“事情紧急来不及行赏，再说凡是参与救火的人都有赏，那么国库的钱赏不到一千人就光了。请下令不救火者一律论罪。”于是哀公下令：“凡是不参与救火者，等同战败降敌之罪；只驱赶野兽者，等同擅入禁区之罪。”命令还未遍及全国，沼泽的大火就被扑灭了。

评：贾似道担任宋朝丞相时，临安城失火，贾似道当时远在距临安二十里外的葛岭，不断有人到葛岭向贾似道报告临安大火的消息，贾似道不管，说：“等火势蔓延到太庙时再来报告我。”不久，有人报告说：“火势蔓延已快至太庙。”贾似道乘坐小轿，由四名大力士用椎剑护卫，每行一里多路便更换轿夫，一会儿便来到太庙前。接着，贾似道命所有人员恭敬肃立，说道：“若太庙被焚，就斩殿帅问罪。”不久，大火便在殿帅率众奋勇扑救下熄灭。贾似道虽是奸臣，但他令出必行、行事明快的作风，也有令人欣赏的地方。

## 2.直百钱

【原文】

刘备攻刘璋。备与士众约：“若事定，府库百物，孤无预焉。”及拔成都，士众皆舍干戈赴诸藏竞取宝物。军用不足，备甚忧之。刘巴曰：“易耳！但当铸直百钱，平诸物价，令吏为官市。”备从之，数月间府库充实。

评：无官市则直百钱不能行，但要紧在平价，则民不扰而从之如水矣。

【译文】

三国时，刘备攻打刘璋前，曾与将士们约定："如果获胜，刘璋府库中的所有财物，我一件也不要。"等到攻下成都时，将士们纷纷放下武器直奔刘璋府库争相抢夺财物，结果导致刘备军用物资不足，这让刘备十分担忧。刘巴对刘备说："这很容易解决，只需你下令铸大钱当百钱，稳定物价，再设立官市。"刘备听从了这个建议，几个月的时间府库就充盈了。

评：不设立官市，那么光铸大钱也不能流通，真正的关键在于大钱的通行能稳定物价，安定民心，因此，其他的政令也能顺利推行。

## 3.知县买饭

【原文】

嘉熙间，峒丁反吉州。万安宰黄炳鸠兵守备。一日五更探报："寇且至。"遣巡尉引兵迎敌，皆口："空腹奈何？"炳曰："第速行，饭且至矣。"炳乃率吏辈携竹罗木桶，沿市民之门曰："知县买饭！"时人家晨炊方熟，皆有热饭熟水，厚酬其值，负之以行。于是士卒皆饱餐，一战破寇。由此论功，擢守临川。

【译文】

宋理宗嘉熙年间，南方山区的峒民在吉州造反，万安宰黄炳召集军队严密防守。一天五更时分，巡逻兵前来报告："贼寇将要来到。"于是黄炳派尉官带兵抵御敌人，兵士们都说："空着肚子怎么迎敌？"黄炳说："你们先去迎敌，早饭随后就到。"黄炳亲自率领手下带着竹筐木桶，沿街敲开老百姓的家门，说："知县买饭。"当时正是百姓煮早饭的时候，所以各家都有热腾腾的米饭汤水，黄炳付给他们比市价高出许多的价钱，满载米饭而去。于是士兵们都饱餐一顿，一下子就打退了敌兵。黄炳也因这次战功而擢升为临川太守。

## 4.造红桌　赁瓦

【原文】

赵从善尹京日，宦寺欲窘之，科降设醮红桌子三百只，内批限一日办集。从善命于酒坊茶肆取桌相类者三百，净洗，糊以白纸，用红漆涂之。又两宫幸聚景园，夜过万松岭，立索火炬三千。从善命取诸瓦舍妓馆不拘竹帘芦帘，实以脂，卷而绳之，系于夹道松树，左右照耀，比于白日。

高宗南渡，驻跸临安，草创行在。方造一殿，无瓦，而天雨。郡与漕司忧之。忽一吏白曰："多差兵士，以钱镪分俵关厢铺店，赁借楼屋腰檐瓦若干，旬月新瓦到，如数赔还。"郡司从之，殿瓦咄嗟而办。辛幼安在长沙，欲于后圃建楼赏中秋。时已八月初旬矣。吏曰："他皆可办，唯瓦不及。"幼安命先于市上每家以钱一百，赁檐瓦二十片，限两日以瓦收钱，于是瓦不可胜用。

评：二事皆一时权宜，可为事役之法。

【译文】

宋朝人赵从善任京兆尹时，宫中宦官想让他难堪，就讲皇帝下令要设坛祭祀祈祷，让赵从善在一天之内准备齐祭祀所需的三百张红桌。赵从善派人到京城中各酒楼茶馆搜求购买式样相仿的桌子三百张，清洗干净后，在桌面糊上白纸刷上红漆，圆满交差。又有一次，皇帝与太后驾临聚景园，晚上将路过万松岭，需要三千支火把照路。赵从善派人到各妓院找来各类卷帘，卷起来用绳子捆好，绑在万松岭道路两边的松树上，点燃后如同白昼般明亮。

宋高宗南渡，到达临安，想在此建造一座临时居住的宫殿。刚造好一间宫殿，还没有覆盖瓦片，天就下雨了。郡守与漕司都十分担忧。有一名小官忽然建议说："不如多派些士兵拿着钱，到城外的商家向他们借租屋瓦腰檐，等一个月新瓦运到后再如数赔偿给他们。"郡守照这方法，果然解决了殿瓦的难题。宋朝人辛弃疾在长沙时，想在后花园搭建一座塔楼赏中秋月，当时已是农历八月初了，小官说："其他都好办，只有屋瓦可能来不及。"辛弃疾命人到街市宣布："凡借瓦二十片给钱一百，愿意者限两日内携瓦片至郡府。"于是郡府前的瓦片堆积如山。

评：两件事都是为一时权宜之计，但仍可为具体办事人员所参考。

## 5.周忱（二条）

【原文】

正统中，采绘宫殿，计用牛胶万余斤，遣官敕江南上供甚急。时巡抚周忱以议事赴京，遇诸途，敕使请公还治。公曰："第行，自有处置。"至京，言："京库所贮牛皮，岁久朽腐，请出煎胶应用，俟归市皮还库，以新易旧，两得便利。"王振欣然从之。

时边事紧急，工部移文，索造盔甲腰刀数百万，其盔俱要水磨。公取所积余米，依数成造，且计水磨明盔非岁月不可，暂令摆锡，旬日而办。

【译文】

明英宗正统年间，因为宫殿需要缮修，预计需用一万多斤牛胶，便命人传令江南立即筹集。当时担任江南巡抚的周忱因为要商讨一些公事而进京，途中遇到使臣，使臣请周忱立即返回江南，周忱却请使臣先行，他自有打算。周忱来到京城后，便求见宦官首领王振，说："京城库房中所贮藏的牛皮已有多年，其中多半腐朽，不如清理出来煮炼牛胶，等下官回到江南，立刻买新牛皮归还库房，这样你我都得到便利。"王振很高兴地答应了他的要求。

有一次边境告急，工部紧急下令，要求周忱打造数百万具盔甲和腰刀，头盔都要用水磨打造，周忱利用库房积存的材料，按规定打造，但他认为用水磨打造耗费时日，下令暂且选用锡材，不到十天，就完成工部所需的数量。

## 6.张恺

【原文】

张恺，鄞县人，宣德三年，以监生为江陵令。时征交趾大军过，总督日晡立取火炉及架数百。恺即命木工以方漆桌锯半脚，凿其中，以铁锅实之。已又取马槽千余，即取针工各户妇人，以棉布缝成槽，槽口缀以绳，用木桩张其四角，饲马食过便收卷，前路足用，遂以为法。

评：后周文襄荐为工部主事，督运大得其力。嗟乎！此监生也，用人可以资格限乎？

【译文】

张恺，浙江鄞县（今鄞州区）人，在明宣宗宣德三年（1428）以监生的身份被任命为江陵县令。当时出征交趾的军队路过江陵，总督日晡急催着要数百具火炉及架子。张恺立即命木工把方桌桌脚锯去一半，再把桌面中央挖空，中空部分放上铁锅。后来日晡又要一千多具马槽，张恺立即召集各家各户会针线的妇女，把整匹棉布缝成槽状，槽口系上绳索，四边用木条架起，成为简便马槽，喂过马匹后，就可将槽架折叠后收起，便于行军使用。后世一直沿用此法。

评：后来周文襄（周忱）推荐张恺为工部主事，对漕运总督帮助甚多。唉！张恺虽是以监生任官，但表现不凡，不免让人感叹。人才的选拔怎能以资格来界定呢？

## 7.张彀

【原文】

张彀为同州观察判官。是时出兵备边州，征箭十万，限以雕雁羽为之，其价翔踊，不可得。彀曰："矢，去物也，何羽不可？"节度使曰："当须省报。"彀曰："州距京师二千里，如民急何？万 有责，下官任之。"·日之间，价减数倍，尚书省竟如所请。

【译文】

金朝人张彀任同州观察判官，当时边境军情紧急，向同州征收十万支箭，并且规定箭羽一定要用雕雁的羽毛，一时间雕雁的羽毛价格暴涨，很难买到。张彀认为："箭，是射出去的东西，什么鸟的羽毛不可以？"节度使却说："必须按规定准备。"张彀："同州距京师有两千里远，军情紧急已不及禀报，万一上面怪罪下来，下官一人承担。"一天之内，雕雁的羽毛价格就暴跌了好几倍，尚书省竟也同意张彀的做法。

# 8.陶鲁

【原文】

陶鲁字自立，郁林人，年二十，以父成死事，录补广东新会县丞。都御史韩公雍下令索犒军牛百头，限二日具。公令出如山，群僚皆不敢应。鲁逾列任之。三司及同官交责其妄。鲁曰："不以相累。"乃榜城门云："一牛酬五十金。"有人以一牛至，即与五十金。明日牛争集。鲁选取百头肥健者，平价与之，曰："此韩公命也。"如期而献。公大称赏，檄鲁麾下，任以兵政。其破藤峡，多赖其力，累迁至方伯。

评：本商鞅徙木立信之术，兼赵清献增价平籴之智。

【译文】

明朝人陶鲁，字自立，郁林人，二十岁时因父亲陶成为国战死，递补广东新会县丞职位。有一次，都御史韩雍下令索要一百头牛犒赏军士，限两日内备好。韩雍一向军令如山，官员们没有人敢答应。只有陶鲁越出自己的职责位置表示愿意接受这个任务。三司及行省各文武长官和其他官员都纷纷责备陶鲁的鲁莽。陶鲁说："绝不牵连各位。"陶鲁在城门张贴告示说："买牛，一头五十金。"有人牵一头牛来到县府，陶鲁立即给人五十金。第二天县民争相牵牛前来，陶鲁挑选一百头健硕的牛只，按市价买下，说："这是韩公的命令。"于是陶鲁如期交牛。韩雍大加赞赏陶鲁的机智，正式辟召陶鲁为幕僚，掌理兵政。韩雍攻藤峡，多依赖陶鲁出谋划策，后陶鲁官至布政使。

评：陶鲁的做法，是借用商鞅搬木建立公信力的计谋，也兼采用赵清用平籴法救荒济急的智慧。

## 9.边老卒

【原文】

丁大用征岭南，京军乏食，掠得寇稻，以刀盔为杵舂。边鄙老卒笑其拙，教于高阜择净地，坎之如臼然，燃茅锻之，令坚实，乃置稻其中，伐木为杵以舂，甚便。

【译文】

明朝成化年间，丁大用征讨岭南，因为军粮短缺，只得抢夺蛮人的稻谷，士兵们以刀为杵，以盔为臼来捣米。有位常年守边的老兵笑士兵们愚笨，教他们选一块干净的土地，凿成臼的形状，然后烧茅草使土块变坚硬结实，再将谷子放入土臼中，砍树干做杵捣米，十分方便。

## 10.蒺藜棒

【原文】

韦丹任洪州，值毛鹤叛，仓卒无御敌之器，丹乃造蒺藜棒一千具，并于棒头以铁钉钉之如猬毛，车夫及防援官健各持一具。其棒疾成易办，用亦与刀剑不殊。

【译文】

唐朝人韦丹在洪州当官时，遇到毛鹤人作乱。由于事出突然，州内没有御敌的武器，韦丹便命人砍了一千棵蒺藜，削成棒状，并在棒头钉上许多铁钉，好像刺猬毛一样，车夫及守卫军人各持一棒。由于制造简便，一千支蒺藜棒很快就造好，而使用起来效果和刀剑不相上下。

# 敏悟卷十二

【原文】

剪彩成花，青阳笑之。人工则劳，大巧自如。不卜不筮，匪虑匪思。集《敏悟》。

【译文】

剪裁彩帛彩纸做成的花，不论手工多么巧妙，也要被春天的鲜花取笑。因为人工所成之物虽然花费了辛劳，但总不如天然巧成的那样自然。智者有时不算、不卜、不思、不虑，靠当时的领悟来做出反应。集此为《敏悟》卷。

## 1.司马遹

【原文】

晋惠帝太子遹，自幼聪慧。宫中尝夜失火，武帝登楼望之。太子乃牵帝衣入暗中。帝问其故，对曰："暮夜仓卒，宜备非常，不可令照见人主。"时遹才五岁耳。帝大奇之。尝从帝观豕牢，言于帝曰："豕甚肥，何不杀以养士，而令坐费五谷？"帝抚其背曰："是儿当兴吾家！"后竟以贾后谗废死，谥愍怀。吁，真可愍可怀也！

评：此智识人，何以不禄？噫！斯人而禄也，司马氏必昌，而天道僭矣。遹谥愍怀，而继惠世者，一怀一愍，马遂革而为牛，天之巧于示应乎？

【译文】

晋惠帝的太子司马遹，从小聪明绝顶，有一天晚上宫中突然起火，惠帝登楼观看火势，太子却拉着惠帝衣角领惠帝站在暗处。惠帝问太子原因，太子说："夜色昏暗，火场一片混乱，必须小心防范意外，不应该让火光将皇上映照清楚。"当时太子才五岁，惠帝大感惊异。还有一次，司马遹随同晋惠帝去检查猪圈，他对晋武帝说："这些猪已养得很肥了，为什么不杀了来犒劳将士，反而让它们白白浪费粮食呢？"惠帝听后，轻抚太子的背说："这孩子必能让国家兴旺。"没想到日后惠帝却因贾后的谗言使太子惨死，谥号"愍怀"，实在是一位值得怜悯、值得怀念的太子啊！

评：如此智慧过人的人，为何如此短命呢？唉！如果太子活得长些，司马氏必然昌盛，天道也会改变。司马遹谥号愍怀，而惠帝崩后，继承帝位的竟分别是怀帝和愍帝。马（司马）最后为牛（刘）氏所取代，难道上天的安排，早已巧妙地显示出来了吗？

## 2.李德裕

【原文】

李德裕神俊，父吉甫每向同列夸之。武相元衡召谓曰："吾子在家，所读何书？"——意欲探其志也。德裕不应。翌日，元衡具告吉甫。吉甫归责之，德裕曰："武公身为帝弼，不问理国调阴阳，而问所读书。书者，成均礼部之职也。其言不当，是以不应。"吉甫复告，元衡大惭。

评：便知是公辅之器。

【译文】

唐朝人李德裕早熟聪慧，其父李吉甫总是向同朝官员夸赞自己的儿子。宰相武元衡有一次召李德裕来，问道："你在家都读些什么书？"——想借此试探德裕的志向。李德裕竟不回答。第二天，武元衡把这件事告诉李吉甫，李吉甫回家后责备儿子。李德裕说："武公身为宰相，不问兴邦治国的道理，却问我所读何书。读什么书是礼部大臣管的事，武公所问不当，所以我没有回答他。"李吉甫将原委告知武相，武相大为惭愧。

评：从李德裕小小年纪能说出这番话，就知道他日后必有相才。

## 3.洪锺

【原文】

崇仁洪锺，生四岁，随父朝京以训导考满之京。舟中朝京与客弈，锺在旁谛观久之，悟其行势，导父累胜。比至临清，见牌坊大字题额，索笔书之，遂得字体。至京师，即设肆鬻字，京师异为神童。宪宗闻之，召见，命书，即地连画数字。又命书"圣寿无疆"四字，锺握笔久之，不动。上曰："汝容有不识者乎？"锺叩头曰："臣非不识字，第为此字不敢于地上书耳。"上嘉其言，即命内侍舁几，复以踏凳立其上，书之，一挥而就。上喜，命翰林给廪读书，其父升国子助教，以便其子。

评：按锺弘治庚戌年十八，登进士，策授中书。不幸婴疾，未三十而夭。岂佛家所谓"修慧未修福"者邪？

【译文】

明朝崇仁人洪锺，长到四岁的时候，他父亲洪朝京因为担任府学训导考核期满而前往北京，他也随同前往。在船中，洪朝京跟客人下棋，洪锺在一旁久久地观看，参悟出对方下棋的棋势，指引父亲屡次赢得棋局。后来到了临清，洪锺见到牌坊上大字题写的匾额，就要来笔写了起来，他写的字与匾额上的字的字体一样。到了京师，他就开设书肆卖字，京师中的人十分惊讶，把他看成神童。明宪宗听说后，召见他，叫他写字，他就地接连写了几个字。明宪宗又叫他写"圣寿无疆"几个字，他握笔久久不动。皇上说:“你可能有不认得的字吧?”他磕头说:“我不是不认得字,只是因为这种字不敢在地上写罢了。”皇上对他的话颇为赞许,就叫内侍抬来几案,又拿来了踏脚的凳子,让他站在凳子上,在几案上写这几个字,他一挥而就。皇上很高兴,命令翰林院拨款以公费供他读书,并升洪父为国子助教,方便教导儿子。

评:按洪锺在弘治庚戌年十八岁考中了进士,授爵在中书省供职,不幸患病,不到三十岁就死了。岂不是佛家说的“只修智慧没有修福禄”的人吗?

## 4.文彦博　司马光

【原文】

彦博幼时,与群儿戏击毬,毬入柱穴中,不能取。公以水灌之,毬浮出。

司马光幼与群儿戏。一儿误堕大水瓮中,已没,群儿惊走。公取石破瓮,遂得出。

评:二公应变之才,济人之术,已露一斑。孰谓“小时了了者,大定不佳”耶?

【译文】

北宋著名书法家文彦博幼年时,和同伴一起玩毬,毬滚入洞中拿不出,文彦博就用水灌洞,不久毬就浮上来了。

北宋政治家司马光幼年,和同伴嬉戏时,有个玩伴失足掉入大水缸中,眼看就要淹死,大家十分害怕一哄而散。只有司马光抱起一块大石头打破水缸,同伴因此得救。

评:这两人应变的机智、救人的智谋,已经显露出来了。谁说“小时候聪明的人长大就不聪明”呢?

## 5.王戎

【原文】

王戎年七岁时，尝与诸小儿游。瞩见道旁李树，有子扳折，诸小儿竞走之，唯戎不动。人问之，答曰：“树在道旁而多子，此必苦李。”试之果然。

评：许衡少时，尝暑中过河阳，其道有梨，众争取啖之，衡独危坐树下自若。或问之，曰：“非其有而取之，不可。”曰：“人亡世乱，此无主矣！”衡曰：“梨无主，吾心独无主乎？”合二事观，戎为智，衡为义，皆神童也。

【译文】

晋朝人王戎七岁时，有一次和同伴游戏，见路旁有棵李树果实累累，同伴们争相攀折，唯有王戎原地不动。有人问他原因，他说：“长在道路旁边的李树却留有这么多果实，李子一定是苦的。”众人一吃，李子果然是苦的。

评：元朝人许衡年轻时，曾在一个大热天到河阳去。路旁有棵梨树，同伴争相摘食，只有许衡独自坐在树下乘凉。问他原因，许衡答：“梨不是我的，怎可随意摘采？”人说：“现在兵荒马乱，这是无主之梨。”许衡说：“梨无主，难道我的心也无主吗？”根据这两件事来看，王戎不摘李是因为聪明，许衡不吃梨是因为行为处世坚持正当原则，两人都是神童啊。

## 6.曹冲

【原文】

曹冲［字仓舒］自幼聪慧。孙权尝致巨象于曹公。公欲知其斤重，以访群下，莫能得策。冲曰："置象大船之上，而刻其水痕所至，称物以载之，一较可知矣。"冲时仅五六岁，公大奇之。

【译文】

曹操的儿子曹冲［字仓舒］从小就很聪明。有一次孙权送给曹操一头大象，曹操想知道大象有多重，问遍所有官员，都没有找到称大象的方法。曹冲说："把大象牵到船上，刻下船身吃水的位置，再换载其他已知重量的物品，等船身吃水到刻痕时，就可得出大象的重量。"曹冲当时只有五六岁，曹操听了十分惊奇。

## 7. 杨佐

【原文】

陵州有盐井，深五十丈，皆石作底，用柏木为干，上出井口，垂绠而下，方能得水。岁久，干摧败，欲易之，而阴气腾上，入者辄死。唯天雨则气随以下，稍能施工，晴则亟止。佐官陵州，教工人用木盘贮水，穴隙洒之，如雨滴然，谓之水盘。如是累月，井干一新，利复其旧。

【译文】

宋朝时，陵州有一口盐井，有五十丈深，井底都是岩石，井壁是用柏木筑成的，并高出井口，需由井口垂下绳索汲取盐水。由于使用多年，柏木已腐朽，需要更换新木，但井中氯气太重，工人一入井就中毒而死，只有雨天时，气随着雨水下降，勉强可以施工，一旦放晴就要停工。杨佐在陵州做官时，教工人在井口用一只大木盘盛水，让水由木盘缝隙中像雨滴般漏出，称为水盘。施工便可以连续进行。几个月后，井壁更换工程完成，又可继续产盐。

## 8.尹见心

【原文】

尹见心为知县。县近河，河中有一树，从水中生，有年矣，屡屡坏人舟。见心命去之。民曰："根在水中甚固，不得去。"见心遣能入水者一人，往量其长短若干。为一杉木大桶，较木稍长，空其两头，从树杪穿下，打入水中。因以巨瓢尽涸其水，使人入而锯之，木遂断。

【译文】

尹见心当知县时，县城边有一条河，河中有一棵树，长在水中很多年了，经常撞坏行人的舟船。尹见心命人砍去大树。有人说："在水中的树根非常牢固，很难砍断。"尹见心派一名潜水夫，潜入河底测量树根的面积，再造一只比树根还大的杉木桶，只是上下不做桶盖呈管状，从树顶套入水中，再用大瓢将桶中河水舀尽，命人入桶锯树，终于去掉大树。

## 9.怀丙

【原文】

宋河中府浮梁，用铁牛八维之，一牛且数万斤。治平中，水暴涨绝梁，牵牛没于河。募能出之者。真定僧怀丙以二大舟实土，夹牛维之，用大木为权衡状钩牛，徐去其土，舟浮牛出。转运使张焘以闻，赐之紫衣。

【译文】

宋朝时，河中府有一座浮桥，用八头铁牛连接着，一头铁牛将近几万斤。治平年间，洪水暴涨冲断浮桥，牵动铁牛，沉到河里。官府招募能够捞出铁牛的人。真定有个名叫怀丙的和尚，用两艘大船装满泥土，把铁牛系到船上，用大木头做成秤钩的形状钩住铁牛，慢慢地去掉船上的泥土，船浮出水面的同时铁牛也浮上来了。转运使张焘听说了这件事，汇报了朝廷，皇上赏赐怀丙紫色袈裟以示荣宠。

# 善言卷十三

【原文】

唯口有枢，智则善转。孟不云乎，言近指远。组以精神，出之密微。不烦寸铁，谈笑解围。集《善言》。

【译文】

口中的舌头，通过智慧才能灵活发表言论。孟子不是说过"浅白的词句，往往包含着深远的含义"的话吗？用心运用，注意变化，不用武力，则能在谈笑之间化解危机。集此为《善言》卷。

## 1.凌阳台

【原文】

陈侯起凌阳之台，未终，而坐法死者数人。又执三监吏，群臣莫敢谏者。孔子适陈，见陈侯，与登台而观之。孔子前贺曰："美哉台乎！贤哉主也！自古圣人之为台，焉有不戮一人而能致功若此者！"陈侯嘿然，使人赦所执吏。

【译文】

春秋时，陈惠公让人修建凌阳台，还没有完工，就杀了好几个人。一天，陈惠公又下令收押三名监工的官吏，大臣们都不敢进谏劝阻。正巧孔子来到陈国，拜见陈惠公，和他一起登台眺望。孔子向陈惠公祝贺，说："凌阳台真是雄伟壮丽啊！大王果真是位贤君。自古以来的圣人在修建楼台时，也没人做到不杀一人就建成楼台！"陈惠公听了羞愧得哑口无言，于是命人释放那三名监吏。

## 2.说秦王

【原文】

秦王与中期争论不胜。秦王大怒，中期徐行而去。或为中期说秦王曰："悍人耳！中期适遇明君故也。向者遇桀、纣，必杀之矣！"秦王因不罪。

【译文】

秦王与辩士中期发生争论，因为自己争辩不过中期而大怒，中期却神态从容地离去。有人怕中期因此得罪秦王，故意在秦王面前说："中期真是蛮横不讲理，幸好他遇到的是大王这样贤明的君王，若是遇到桀、纣那样的君王，恐怕早就被砍头了。"秦王因而不再怪罪中期。

## 3.马圉　中牟令

【原文】

景公有马，其圉人杀之。公怒，援戈将自击之。晏子曰："此不知其罪而死。臣请为君数之。"公曰："诺。"晏子举戈临之曰："汝为我君养马而杀之，而罪当死！汝使吾君以马之故杀圉人，而罪又当死！汝使吾君以马故杀圉人，闻于四邻诸侯，而罪又当死！"公曰："夫子释之，勿伤吾仁也！"

后唐庄宗猎于中牟，践蹂民田。中牟令当马而谏。庄宗大怒，命叱去斩之。伶人敬新磨率诸伶走追其令，擒至马前，数之曰："汝为县令，独不闻天子好田猎乎？奈何纵民稼穑，以供岁赋？何不饥饿汝民，空此田地，以待天子驰逐？汝罪当死！亟请行刑！"诸伶复唱和。于是庄宗大笑，赦之。

【译文】

景公有一匹马被圉人（养马的官吏）杀了，景公很生气，拿起戈想亲手杀了那个圉人。晏子说："这样是让他不知道罪过而死，请让臣列举他的罪状。"景公说："好！"晏子举起戈指着圉人说："你为君王养马却杀了马，其罪当死！你使君王为了一匹马而杀养马官，其罪又当死！你使君王因为一匹马而杀马官的事传到其他诸侯耳中，让天下诸侯耻笑君王，其罪更该死！"景公立即说："贤卿放了他吧，不要使孤王蒙上不仁的罪名。"

后唐庄宗在中牟狩猎，大肆践踏周围百姓的田地，中牟县县令挡在庄宗马前陈情谏阻。庄宗非常生气，命随从将县令带走处斩。有个叫敬新磨的伶人立刻带着其他伶人追赶被押走的县令，然后把他带到庄公马前，数落他的罪状说："你身为县令，难道没有听说天子喜欢狩猎吗？为什么要纵容百姓辛勤耕种庄稼，按时缴纳每年的赋税？为什么不让百姓忍饥挨饿，空出这里的田地，好让天子尽情追逐野兽呢？你真是罪该万死，请皇上立刻下令行刑。"其他伶人也在旁边唱和，于是庄宗大笑着下令赦免县令。

## 4.郑涉

【原文】

刘玄佐镇汴，尝以谗怒，欲杀军将翟行恭，无敢辨者。处士郑涉能谐隐，见玄佐曰："闻翟行恭抵刑，愿付尸一观。"玄佐怪之。对曰："尝闻枉死人面有异，一生未识，故借看耳。"玄佐悟，乃免。

【译文】

唐朝人刘玄佐镇守汴州时，有一次因为听信谗言，想杀掉将军翟行恭，没有一个人敢上前劝谏。处士（没有任官职的读书人）郑涉为人诙谐，善用隐语，见了刘玄佐，对他说：“听说翟行恭得罪了大人，大人要杀他抵罪，希望大人能答应我一个小小的请求：翟行恭行刑后，能让在下看看他的尸体。”刘玄佐觉得奇怪，郑涉说：“我曾听人说受冤而死的人，脸上的表情和普通死人不同，我平生从未见过，所以想见识见识。”刘玄佐立即明白了郑涉话中的意思，于是赦免了翟行恭。

## 5.李忠臣

【原文】

辛京杲以私杖杀部曲，有司奏：京杲罪当死。上将从之。李忠臣曰：“京杲当死久矣！”上问其故。忠臣曰：“京杲诸父兄弟俱战死，独京杲至今日尚存。故臣以为久当死。”上恻然，乃左迁京杲。

【译文】

唐朝人辛京杲私自杖杀了家兵，因此有官吏上奏朝廷：辛京杲依法应论死罪。肃宗也同意按律论罪。李忠臣说：“其实辛京杲早该死了！”肃宗问为什么，李忠臣说：“辛京杲的父兄都战死沙场为国捐躯，只有辛京杲一个人活到现在，所以臣认为他早就该死了。”肃宗感念辛家功劳，为之悲伤不已，于是对辛京杲处以降职惩罚代死罪。

## 6.武帝乳母

【原文】

武帝乳母，尝于外犯事。帝欲申宪。乳母求东方朔，朔曰："此非唇舌所争。尔必望济者，将去时，但当屡顾帝，慎勿言！此或可万一冀耳。"乳母既至，朔亦侍侧，因谓之曰："汝痴耳！帝今已长，岂复赖汝乳哺活耶？"帝凄然，即敕免罪。

【译文】

汉武帝的乳母在宫外犯法，武帝要依法处理。乳母向东方朔求救。东方朔说："这件事不是用言辞就可以解决的，你如果真想免罪，你就在辞别皇上时，频频回头看皇上，但记住千万不要开口求皇上，这样或许还有一丝希望。"乳母在向武帝辞别时，东方朔也在一旁，他对乳母说："你不要痴心妄想了，现在皇上已长大了，岂会还依赖你的奶水养活？"武帝听了，想起奶妈的哺育之恩，感到很悲伤，当即赦免乳母的罪。

## 7.简雍

【原文】

先主时天旱，禁私酿。吏于人家索得酿具，欲论罚。简雍与先主游，见男女行道，谓先主曰："彼欲行淫，何以不缚？"先主曰："何以知之？"对曰："彼有其具！"先主大笑而止。

【译文】

蜀先主刘备在位时因为天旱，下令禁止百姓私自酿酒。有官吏在一户百姓家中搜出酿酒的器具，想要对其按律问罪。简雍与刘备一同出游，见路上有一对男女，简雍就对刘备说："他们想要行苟合之事，为什么不命人把他们抓起来？"刘备说："你怎么知道的？"简雍说："因为他们身上都带着苟合的器官。"刘备听了大笑，于是下令废除这一刑罚。

## 8.魏徵

【原文】

文德皇后即葬。太宗即苑中作层观，以望昭陵，引魏徵同升。徵熟视曰："臣眊昏，不能见。"帝指示之。徵曰："此昭陵耶？"帝曰："然。"徵曰："臣以为陛下望献陵，若昭陵，则臣固见之矣。"帝泣，为之毁观。

【译文】

唐朝文德皇后（唐太宗皇后长孙氏）死后葬在昭陵。唐太宗命人在苑中搭建了一座好几层的楼台，以方便自己眺望昭陵。一天，太宗邀魏徵一同登楼眺望。魏徵注目细看后说："臣老眼昏花，看不见陵墓在哪儿。"太宗指给他看。魏徵说："是昭陵啊？"唐太宗说："对。"魏徵说："臣以为皇上眺望献陵（唐高祖陵墓）呢，如果是昭陵，那老臣早看见了。"太宗惭愧不已，于是命人拆去楼台。

## 9.贾诩

【原文】

贾诩事操。时临淄侯植才名方盛，操尝欲废丕立植。一日屏左右问诩，诩默不对。操曰："与卿言，不答，何也？"对曰："属有所思。"操曰："何思？"诩曰："思袁本初、刘景升父子。"操大笑，丕位遂定。

评：卫瓘"此座可惜"一语，不下于诩。晋武悟而不从，以致于败。

【译文】

贾诩效命于曹操，当时临淄侯曹植才名极盛，曹操有意废世子曹丕而改立曹植。一天，曹操屏退左右，问贾诩改立世子的事，贾诩没有应答。曹操说："我跟贤卿说话，贤卿为何不答话？"贾诩说："臣正在想一件事。"曹操又问："贤卿想什么呢？"贾诩说："我在想袁本初（袁绍）和刘景升（刘表）两家父子的事。"曹操听了哈哈大笑，曹丕的世子地位由此确立。

评：晋朝时卫瓘也说过类似的话，而且卫瓘的机智与含蓄不下于贾诩，可惜晋武帝领悟后却不采纳，以致最后失败。

## 10.解缙（二条）

【原文】

解缙应制题《虎顾众彪图》，曰："虎为百兽尊，谁敢触其怒。唯有父子情，一步一回顾。"文皇见诗有感，即命夏原吉迎太子于南京。

文皇与解缙同游。文皇登桥，问缙："当作何语？"缙曰："此谓'一步高一步'。"及下桥，又问之。缙曰："此谓'后面更高似前面'。"

【译文】

明朝人解缙受明成祖（文皇即明成祖朱棣）诏命，为《虎顾众彪图》题诗，诗句是："虎为百兽尊，谁敢触其怒。唯有父子情，一步一回顾。"成祖看了诗句，不由得百感交集，立即命人到南京迎太子回宫。

有一次明成祖与解缙一同出游，明成祖登上一座桥的桥阶，问解缙："这情景该怎么形容？"解缙说："这叫一步高过一步。"等到下桥时，明成祖又问同样的问题。解缙说："这叫后面更高似前面。"

# 制胜卷十四

【原文】

危事无恒，方随病设。躁或胜寒，静或胜热。动于九天，入于九渊。风雨在手，百战无前。集《制胜》。

【译文】

兵事变化无常，就像医生为病人开处方时，必须依据不同的病情，以躁制寒，以静克热。上能动于九天，下能入于九渊。一切都在掌握之中，才能百战百胜。集此为《制胜》卷。

## 1. 孙膑（二条）

【原文】

孙子同齐使之齐，客田忌所。忌数与齐诸公子逐射。孙子见其马足不甚相远，马有上、中、下，乃谓忌曰："君第重射，臣能令君胜。"忌然之，与王及诸公子逐射千金。

及临质，孙子曰："今以君之下驷与彼上驷，取君上驷与彼中驷，取君中驷与彼下驷。"既驰三辈毕，而田忌一不胜而再胜，卒得五千金。

评：唐太宗尝言："自少经略四方，颇知用兵之要，每观敌阵，则知其强弱。常以吾弱当其强，强当其弱。彼乘吾弱，奔逐不过数百步。吾乘其弱，必出其阵后，反而击之，无不溃败。"盖用孙子之术也。

宋高宗问吴璘以胜敌之术，璘曰："弱者出战，强者继之。"高宗亦曰："此孙膑驷马之法。"

魏伐赵，赵急请救于齐。齐威王欲将孙膑，膑以刑余辞，乃将田忌，而孙子为师，居辎车中，坐为计谋。田忌欲引兵救赵，孙子曰："夫解纷者不控卷，救斗者不搏撠；批亢捣虚，形格势禁，则自为解耳。今梁、赵相攻，轻兵锐卒必尽于外，老弱罢于内。君不若引兵疾走大梁，冲其方虚。彼必释赵而自救，是我一举解赵之困，而收敝于魏也。"忌从之，魏果去邯郸，与齐战于桂陵，大破梁军。

【译文】

战国著名军事家孙膑与齐国使臣一起回到齐国，成为齐国大将田忌门下的宾客。田忌多次与齐国公子们赌赛马。孙膑发觉双方出赛的马匹分上、中、下三级，而同级的马匹彼此间差别不大。于是对田忌说："将军再赛一场以重金押注，我有绝对的把握能使将军获胜。"田忌一听这话非常高兴，因此不仅与诸公子对赌，也邀请齐王下注，赌金高达千金之多。

到了比赛出马的那天，孙膑对田忌说："将军用下等的马，跟对方最好的马配成一组比赛，然后再用跑得最快的马和对方中等马比赛，用中等马跟对方下等马比赛，这样一来，将军就能以二比一获胜。"果然，三场比赛结束后，田忌输了一场，胜了两场，最终赢得五千金。

评：唐太宗曾说："我自小四处打仗，颇知用兵之道，每次察看敌军阵势，就知道对方兵力的强弱。我经常先以弱兵御强，再以强兵攻弱，敌人趁我兵弱追击，不过只能向前推进数百步，而我以强兵攻敌之弱时，往往出现在敌军阵势之后，能突袭敌军，所以敌军没有不溃散的。"这就是运用孙膑的战略。

宋高宗曾询问大将吴璘制胜的战术，吴璘说："我先以弱兵诱敌，等敌军疲惫气衰，再以强兵攻敌。"宋高宗也说："这正是孙膑帮助田忌在赛马中获胜的方法。"

魏国攻打赵国，赵国向齐国紧急求援。齐威王打算任孙膑为主将，但孙膑以“刑余之身”为由谢绝了。于是齐威王任命田忌为主将，任命孙膑为军师，让他坐在车中谋划指挥。田忌本想立即率兵救赵，孙膑谏阻说：“解救有如解乱麻，不可胡扯硬拉，援兵救赵有如劝架，不可鲁莽持戟与人搏斗，只要攻击敌人要害，自然会出现有利于我军的形势。现在魏、赵两国互相攻伐，强兵劲卒必定倾国而出，留在国内的只是一些老弱残兵。将军不如发动大军攻击魏国首都大梁，捣其空虚。魏军一定会停止攻打赵国，班师回国救援，这样我们可以一举解除赵国的围困，又可坐收魏国兵疲力竭的利益。”田忌采纳了孙膑的意见，不久魏军果然自邯郸退兵，和齐军在桂陵发生激战。魏军大败。

## 2.赵奢

【原文】

秦伐韩，军于阏与。赵王问廉颇：“韩可救否？”对曰：“道远险狭，难救。”又问乐乘，如颇言。及问赵奢，奢对曰：“道远险狭，譬之两鼠斗于穴中，将勇者胜。”乃遣奢将而往。

去邯郸三十里，而令军中曰：“有以军事谏者，死！”秦军军武安西，鼓噪勒兵，屋瓦皆振。军中候有一人言急救武安，奢立斩之。坚壁留二十八日，不行，复益增垒。

秦间来入，奢善食而遣之。间以报秦将，秦将大喜曰：“夫去国三十里而军不行，乃增垒，阏与非赵地也！”奢既遣秦间，乃卷甲而趣之，一日一夜至。令善射者去阏与五十里而军。军垒成，秦人闻之，悉甲而至。军士许历请以军事谏，奢曰：“内之。”许历曰：“秦人不意赵师至，此其来气盛，将军必厚集其阵以待之，不然必败！”奢许诺。许历请就诛，奢曰：“胥后令，至邯郸。”历复请谏，曰：“先据北山上者胜，后至者败。”奢许诺，即发万人趋之。秦兵后至，争山不得上。奢纵兵击之，大破秦军，遂解阏与之围。

评：孙子曰：“反间者，因敌间而用之。”又曰：“我得亦利，彼得亦利，为争地。”阏与之捷是也。许历智士，不闻复以战功显，何哉？于汉广武君亦然。

【译文】

秦国进攻韩国，军队抵达了赵国领土阏与。赵王问廉颇道：“我们可以去援救韩国吗？”廉颇回答说：“去韩国的道路十分遥远，而且又十分艰险狭窄，很难援救。”赵王又问乐乘，乐乘的回答和廉颇一样。赵王又问赵奢，赵奢回答说：“道远地险路狭，就譬如两只老鼠在洞里争斗，哪个勇猛哪个得胜。”赵王便派赵奢领兵，去救援阏与。

在距离邯郸三十里的地方，赵奢在全军下令说：“凡是敢以军事进谏的人，不论官阶高低，一律处死！”当时秦军驻扎在武安的西方，战鼓响彻云霄，士兵喊杀的声音，几乎都要把武安城内的屋瓦都震落下来了。有一名斥候建议赵奢：“请将军发兵救武安。”赵奢立刻将他处死。赵奢下令全军加强防御之事，一连二十八天按兵不动，只是一味加强整饬防备。

秦军派间谍混入赵营，赵奢好好招待了他一顿，又送他回去。间谍回到秦军后据实以告，秦将大喜，说：“离开国都三十里军队就不前进了，而且还增修营垒，阏与不会为赵国所有了。”赵奢遣送秦军间谍之后，就令士兵卸下铁甲，快速向阏与进发。一天一夜就到达前线，下令善射的骑兵在离阏与五十里的地方扎营。军营筑成后，秦军知道了这一情况，立即全军赶来。一个叫许历的军士请求就军事提出建议，赵奢说：“让他进来。”许历说：“秦人本没想到赵军会来到这里，现在他们赶来对敌，士气很盛，将军一定要集中兵力严阵以待。不然的话，必定要失败。”赵奢说：“请让我接受您的指教。”许历说：

"我请求接受死刑。"赵奢说:"等回邯郸以后的命令吧。"许历请求再提个建议,说:"先占据北面山头的得胜,后到的失败。"赵奢同意,立即派出一万人迅速奔上北面山头。秦兵后到,与赵军争夺北山但攻不上去,赵奢指挥士兵猛攻,大败秦军,于是阏与的包围被解除。

评:孙子说:"所谓'反间',是指利用或收买敌方派来的间谍为我效力。"又说:"所谓兵家必争之地,就是我军占据对我有利,敌军占据对敌有利的地方。"阏与大捷,就是体现上面两句军事原则的实例。许历是一位智谋之士,后来再没有立功的消息,这是什么缘故呢?汉代的李左车(广武君)的遭遇也一样。

## 3.周亚夫(二条)

【原文】

吴、楚反,景帝拜周亚夫太尉击之。既发,至霸上。赵涉遮说之曰:"吴王怀辑死士久矣。此知将军且行,必置人于淆、渑阨陋之间。且兵事尚神密,将军何不从此右去,走蓝田,出武关,抵洛阳,间不过差一二日,直入武库,击鸣鼓。诸侯闻之,以为将军从天而下也。"太尉如其计,至洛阳,使搜淆、渑间,果得伏兵。

太尉会兵荥阳,坚壁不出。吴方攻梁急,梁请救。太尉守便宜,欲以梁委吴,不肯往。梁王上书自言。帝使使诏救梁。太尉亦不奉诏,而使轻骑兵绝吴、楚后。吴兵求战不得,饿而走。太尉出精兵击破之。

评:吴王之初发也,其大将田禄伯曰:"兵屯聚而西,无他奇道,难以立功。臣愿得五万人,别循江、淮而上,收淮南、长沙,入武关,与大王会,此亦一奇也。"吴太子谏曰:"王以反为名,若借人兵，亦且反王。”于是吴王不许。少将桓将军说王曰：“吴多步兵，利险；汉多车骑，利平地。愿大王所过城不下，直去，疾西据洛阳武库，食敖仓粟，阻山河之险，以令诸侯，虽无入关，天下固已定矣！大王徐行，留下城邑，汉军车骑至，驰入梁、楚之郊，事败矣！”吴老将皆言：“此少年摧锋可耳，安知大虑！”吴王于是亦不许。假令二计得行，亚夫未遽得志也。亚夫之功，涉与吴王分半。而后世第功亚夫，竟无理田、桓二将军之言者，悲夫！

李牧、周亚夫，皆不万全不战者，故一战而功成。赵括以轻战而败，夫差以累战而败。君知不可战而不禁之，子玉之败是也；将知不可战而迫使之，杨无敌之败是也。

【译文】

汉景帝时，吴王、楚王起兵谋反，景帝封周亚夫为太尉带兵出击。大军来到灞上，赵涉拦马游说周亚夫：“吴王招纳聚敛敢死之士已久，这次他知道将军前来，一定会在淆、渑等狭隘的山道间埋伏狙击。作战讲求出其不意，将军为什么不由此地朝右进发，经蓝田、武关到洛阳，其间不过相差一两天的路程，将军直接率军冲入军械库。诸侯们听到军鼓声，还以为将军是从天而降呢。”周亚夫接纳了赵涉的建议，等到了洛阳后，派人到淆、渑等山道四处搜查，果然逮捕到吴王的伏兵。

周亚夫在荥阳会兵后，只是加固城墙和堡垒而不出战。当时吴国攻击梁国，梁国情势危急，派使者向周亚夫求救，周亚夫认为将在外可便宜行事，想要用梁国吸引吴兵，不肯出兵相救。梁王向景帝上书求救，景帝命周亚夫出兵救援，周亚夫也不接受诏命，只派人率领轻简的骑兵，断绝了吴、楚两军运粮的粮道。吴兵求战不得，由于饥饿而撤退，这时周亚夫才出动精兵追击，大破吴、楚军队。

评：吴王刚开始造反出征时，他的大将军田禄伯说：“屯聚大军向西推进，如果没有奇妙的战略，很难成就大业。臣愿意率领五万士卒，另外沿着江、淮上游前进，收淮南、长沙，进入武关，再和大王军队会合，这也是一支奇兵呢。”吴太子劝阻说：“父王出兵谋反，如果将军队交给别人，别人也可能谋反父王。”于是吴王没有答应田禄伯的要求。吴少将桓将军游说吴王说：“吴国多步兵，有利于在险地作战；汉多骑兵，有利于在平地作战。希望大王不要攻占沿途所经过的城市，直接向西攻占洛阳的军械库，夺取敖仓的粮食，凭恃山河的险阻号令诸侯，如此则虽还没有入关，但已能完全掌握天下的形势了。但如果大王因攻占城市而沿途逗留，汉军的骑兵一到，快马进入梁、楚的郊野，大业的图谋就失败了。”吴王的老将们都说：“这个年轻人冲锋陷阵行，哪里知道考虑大局呢？”于是吴王也没有采纳少将桓将军的意见。假使当初吴王能接受大将军田禄伯以及少将桓将军所提的建议，或许周亚夫也不能顺利地平定乱事。周亚夫平乱的功劳，赵涉与吴王要占一半，但后世只推崇周亚夫，却遗漏了田禄伯、桓将军的建言，真是可悲啊！

李牧与周亚夫，都是没有十足制胜的把握就不出战的人，所以每一次出战都能成功。赵括轻敌追击最终战败，战国时代吴王夫差因长期征战而败。君王知道不能开战却一定要战，说的就是楚国大将子玉失败的原因；将领知道不可应战却迫使士兵迎战，说的就是杨无敌失败的原因。

## 4.周访

【原文】

贼帅杜曾屡败官军，威震江、沔。元帝命周访击之。访有众八千，进至沌阳。曾等锐气甚盛。访曰：“先入有夺人之心，军之善谋也。”使将军李常督左甄，许朝督右甄，访自领中军，高张旗帜。曾果畏访，先攻左右甄。曾勇冠三军，访甚恶之，自于阵后射雉以安众心。令其众曰：“一甄败，鸣三鼓；两甄败，鸣六鼓。”

赵胤兵属左甄，力战，败而复合。胤驰马告访。访怒叱，令更进。胤号哭复战。自旦至申，两甄皆败。访闻鼓音，选精锐八百人，自行酒饮之，敕不得妄动，闻鼓响乃进。贼未至三十步，访亲鸣鼓，将士皆腾跃奔赴。曾遂大溃。杀千余人。

访夜追之。诸将请待明日，访曰："曾骁勇善战，向之败也，彼劳我逸，是以克之，宜及其衰，乘之可灭。"鼓行而进，遂定汉、沔。曾等走固武当。访出不意，又击破之，获曾。

评：先委之以两甄，以敝其力，以骄其气，卒然乘之，乃可奏功。然兵非素有节制，两甄先不为尽力矣。

【译文】

晋朝时，叛贼统帅杜曾屡次打败官兵，威名震惊江、沔等地。晋元帝派周访出兵清剿杜曾。周访率领八千部众，进军抵达沌阳。杜曾军队士气十分旺盛。周访说："善谋者的第一步，是先一步鼓舞起部队必胜的意志力和决心。"周访命将军李常指挥左翼，许朝指挥右翼，周访亲自率领中军，高举旗帜。杜曾果然畏惧周访的声势，先攻打左右两翼，锐不可当，周访见杜贼气势勇猛，亲自在阵后射箭来安定官军的心。周访下令说："一翼败，击鼓三次；两翼败，击鼓六次。"

赵胤居于左翼，奋力作战，阵势被贼人冲散了，又立即会合在一起继续奋战。赵胤骑马飞奔回来向周访报告战况，周访生气地大声命令他再进兵，赵胤哭叫着应战。战事从早到晚未曾停歇，左右两翼都战败了。周访听到鼓声，挑选精兵八百人，亲自倒酒请他们喝，严格要求他们不可轻举妄动，只有在听到鼓声后才能前进，贼人进逼到三十步距离时，周访亲自击鼓，将士都奋勇杀敌，于是杜曾大败，死了一千多贼兵。

周访下令趁夜追击，其他将领却请求等到天亮再追。周访说："杜曾勇敢善战，刚才他们战败，是因我军以逸待劳，所以才能战胜。现在更是机不可失，应该趁着他们士气衰微的时候，一举消灭他们。”于是击鼓前进，平定了汉、沔地区。杜曾逃到武当，固守武当。周访出其不意又攻武当，擒获杜曾。

评：周访先以左、右两翼消耗杜曾的战力，使杜曾因胜而骄，再出其不意地以精兵迎战，于是建功。但若不是军士们平日训练有素，左右两翼怎能奋战到底，消耗敌人战力呢？

## 5.邓艾

【原文】

邓艾与郭淮合兵以拒姜维。维退，淮因西击羌。艾曰：“贼去未远，或能复还。宜分诸军以备不虞。”于是留艾屯白水北。三日，维遣廖化自水南向艾结营。艾谓诸将曰：“维今卒还。吾军少，法当来渡，而不作桥。此维使化持吾，令吾不得动，维必自东袭取洮城矣！”洮城在水北，去艾屯六十里。艾即夜潜军径到洮城。维果来渡，而艾先至据城，得以不破。

【译文】

三国时，魏将邓艾与郭淮两军会合共同抵御姜维。姜维撤兵后，郭淮准备进兵攻打西羌。邓艾说：“敌人虽然撤退，但是并没有走远，或许还会回头来攻，所以应该分军守卫，以防意外。”于是邓艾留下驻守白水之北。三天后，姜维派廖化在白水南边扎营，对邓艾叫阵。邓艾对诸将说：“姜维果然卷土重来，我军兵力薄弱，他们理当渡河来攻，而必定不会造桥直接渡河。以廖化的部队牵制，使我不得动弹，而由姜维引军向东袭取洮城。”洮城在白水北边，距邓艾防地六十里。于是，邓艾赶紧趁夜行军，悄悄开往洮城，姜维果然渡河而来，但是邓艾已经先占领洮城，所以得以保全洮城。

## 6.李靖

【原文】

萧铣据江陵。诏李靖同河间王孝恭安辑，阅兵夔州。时秋潦，涛濑涨恶，铣以靖未能下，不设备。诸将亦请江平乃进，靖曰："兵事以速为神。今士始集，铣不及知，若乘水傅垒，是震雷不及塞耳，仓卒召兵，无以御我，此必擒也。"孝恭从之。帅战舰二千余艘东下，拔其荆门、宜都二镇，进至夷陵。

萧铣之罢兵营农也，才留宿卫数千人，闻唐兵至，大惧。仓卒征兵，皆在江岭之外，道途阻远，不能遽集，乃悉见兵出拒战。孝恭将击之，李靖止之曰："彼救败之师，策非素立，势不能久，不若且驻南岸，缓之一日，彼必分其兵，或留拒我，或归自守。兵分势弱，我乘其懈而击之，蔑不胜矣。今若急之，彼则并力死战，楚兵剽锐，未易当也！"孝恭不从，留靖守营，自帅锐师出战。果败走，趣南岸。铣众委舟，收掠军资，人皆负重。靖见其众乱，纵兵奋击，大破之。乘胜直抵江陵，入其外郭，大获舟舰。李靖使孝恭尽散之江中。诸将皆曰："破敌所获，当借其用，奈何弃以资敌？"靖曰："萧铣之地，南出岭表，东距洞庭。吾悬军深入，若攻城未拔，援兵四集，吾表里受敌，进退不获，虽有舟楫，将安用之？今弃舟舰，使塞江而下，援兵见之，必谓江陵已破，未敢轻进，往来窥伺，动淹旬月，吾取之必矣！"铣援兵见舟舰，果疑不进。

【译文】

唐朝时，后梁宣帝曾孙萧铣占据江陵，皇帝命令李靖同河间王李孝恭一起领兵安定江陵，在夔州检阅军队。当时因为秋季久雨而形成大水，江水高涨，萧铣认定李靖不能顺江而下，因此没有布置防备。唐军的将领也都请求等水潮退后再进军。李靖说："用兵讲求的是神速难测，现在我军刚集合，萧铣还未获得情报，若是趁着涨水而直抵敌人城垒之下，正是迅雷不及掩耳，他们仓促之间一定无法集合军队还击，我军必能擒获贼人。"李孝恭听从了这个建议，亲自率领两千多艘战舰东下，攻下荆门、宜都二镇，进兵夷陵。

萧铣屯兵耕种，才留下几千人守卫，听说唐兵到来，大为恐惧，仓皇间征兵，兵士却都在江南、岭南之外，路途遥远，不能立即会合，只好用现有兵力出兵反扑。李孝恭想继续进逼，李靖阻止他说："他们是为救援而来，并不打算坚守抗拒，不耐久战，我军不如暂时在南岸驻扎，缓他一日，敌军必会分兵部署。有的留下抵拒，有的回营自守。兵力一分散，自然势力衰弱，我军趁敌军势弱松懈时加以攻击，哪有不胜之理？如果穷追进逼，敌兵一定拼死一战。楚兵生性剽悍，不易抵挡。"李孝恭不听，留下李靖守营，自率精锐出击，果然战败，退守南岸。萧铣的部众却弃去舟船，抢夺军需用品，人人背负重物。李靖见敌兵阵势纷乱，立即下令攻击，大败敌兵，乘胜推进江陵，来到外城，大获敌兵舟船。李靖让李孝恭将所获的地方舟船散置江中。诸位将领都说："掳获敌人的舟船当善加利用，为何要白白弃置，反而资助敌人呢？"李靖说："萧铣的地盘，南出岭南，东到洞庭湖。我们孤军深入敌境，若攻城不下，他们援军从四方集合，我军里外受敌，进退两难，即使有舟船又有什么用？今天弃置舟船，使它满江满河顺流而下，敌人援军看见，以为江陵已破，必定不敢贸然进兵，再三派遣间谍窥探军情，这一拖延可能就是十多天。其间我军一定可以攻下敌城。"萧铣的援兵看见散置江面的舟船，果然怀疑江陵已破，不敢进兵。

## 7.朱儁

【原文】

黄巾贼党韩忠，以十万人掘宛。诏朱儁以八千人讨之。儁张围结垒，起土山以临城内，鸣鼓攻其西南。贼悉众赴西南。儁自将精兵五千掩其东北，乘城而入。忠乃退保子城，惶惧乞降。时司马张超等议听之，儁曰："不可。今海内一统，独黄巾造逆，纳降徒长逆萌，非长计！"急攻之，不克。儁乃登土山望之，顾谓张超曰："吾知之矣。贼外围周固，乞降不受，欲出不得，所以死战。不如撤围，并兵入城。忠见围解，势必自出，出则意散，易破之道也。"即解围，忠果出，因击，大破之。

【译文】

东汉末年时，黄巾军贼将韩忠率领十万黄巾军盘踞宛城，汉灵帝命令朱儁率领八千兵士前去讨伐韩忠。朱儁修堡筑城，堆起能俯瞰城内的土山之后，就击鼓指挥大军攻宛城西南，贼兵全力防守西南时，不料朱儁却亲自率五千精兵从东北偷袭，乘机攻入城里。韩忠仓皇退入内城，派人请降。当时司马张超等人主张接受韩忠的请降，朱儁却说："不行！现在天下一统，唯独黄巾军结党作乱，如果今天接受贼党请降，无异于鼓励日后贼匪作乱谋反，不是长远之计。"朱儁领兵强行攻打宛城，却没有攻打下来。于是，朱儁登上土山眺望宛城，回头对张超说："我明白了，贼党被我们牢牢包围了，向我军请降不成，又无法突围而出，只好拼死守城。我军不如不再围城，会合起来攻打宛城。韩忠见围兵撤退，一定会率贼出城，贼人一出，拼死一战的士气瓦解，就容易击溃了。"朱儁于是下令撤兵，韩忠果然出城，于是朱儁下令出击，终于大破韩忠。

## 8.耿弇

【原文】

张步弟蓝，将精兵二万守西安，而诸郡合万人守临淄，相距四十里。耿弇进军二城之间，视西安城小而坚，临淄虽大实易取。乃下令：后五日攻西安。蓝闻，日夜警备。至期，夜半，弇敕诸将皆蓐食。及旦，径趋临淄，半日拔其城。蓝惧，弃城走。

诸将曰："敕攻西安而乃先临淄，竟并下之，何也？"弇曰："西安闻吾攻，必严守具。临淄出不意而至，必自警扰，攻之必立拔。拔临淄则西安孤，此击一而得二也！若先攻西安，顿兵坚城，死伤必多。即拔之，吾深入其地，后乏转输，旬月间不自困乎？"诸将皆服。

【译文】

汉光武帝时，张步的弟弟张蓝率精兵两万人据守西安，而其他各郡县则集结一万人防守临淄，两城之间相距四十里。耿弇率军来到两城之间，发觉西安城虽小，但守备坚强；临淄虽是大城，但防守松懈，容易攻占。于是下令：五天后进攻西安。张蓝听闻这个消息，日夜严密戒备。到了第四天的半夜，耿弇下令全体士兵携带蓐席军粮抄小路急行军。快天亮时，来到临淄城，只用半天的时间就攻占了临淄。张蓝惊恐之下，竟弃西安城而逃逸。

事后诸将问耿弇："元帅先前下令进攻西安，却发兵打临淄，结果两城一并攻占，这是什么原因？"耿弇说："西安城听说我军将要进攻，必定加强戒备，我军出其不意进攻临淄，临淄守兵一定因料想不到而惊慌害怕，所以能立刻破城。临淄一破，西安城就孤立无援，这就是为什么只攻一城而得两城。如果先打西安，西安城坚兵强，双方交战，死伤必然惨重，即使获胜，我军深入敌境，后方补给不易，十天半个月之后，难保不自陷困境。”诸将听了，大为佩服。

## 9.马燧

【原文】

马燧既败田悦，会救至，悦复振。悦壁洹水，淄青军其左，恒冀军其右。燧进屯邺，请益兵。诏河阳李艽以兵会，次于漳。悦遣将王光进以兵守漳之长桥，筑月垒以扼军路。燧于下流以铁锁维车数百绝河，载土囊遏水而渡。

悦知燧食乏，坚壁不战。燧令士赍十日粮，进营仓口，与悦夹洹而军，造三桥，逾洹日挑战。悦不出，阴伏万人，欲以掩燧。燧令诸军夜半食，鸡鸣时鸣鼓角，而潜师并洹。趋魏州，下令曰：“须贼至，止为阵。”留百骑持火匿桥旁，待悦众尽渡，乃焚桥。

燧行十余里，悦果率众逾桥，乘风纵火，鼓噪而前。燧令兵士无动，除蓁莽广百步，勇士五千人先为阵以待悦。比悦至，火止，气少衰。燧将兵奋击，大败之。悦还走，而三桥已焚矣。悦众赴水死者不可胜计。

【译文】

唐朝大将马燧虽打败田悦，但因敌人有援兵到来，所以田悦势力死灰复燃。田悦据守洹水，淄青军占据其左边地区，恒冀军占据其右边地区。于是马燧带领部队进入邺城，并报请朝廷增兵支援。朝廷诏令河阳守李艽率兵驰援，与马燧会师于漳水。田悦派部将王光进分兵守漳水边的长桥，修筑半月形的土墙，以扼制官军的进路。马燧派出数百兵卒，牵引铁链连接河中，沿着铁链装载土袋，截断河水，让兵士可以涉水渡河。

田悦知道马燧军粮匮乏，坚守营地不出战。马燧让士兵携带十天口粮，进兵驻屯仓口，与田悦的部队在洹水两岸对峙，另外派兵搭建三座桥道，天天渡洹水，到田悦营前挑战。田悦不出战，却暗中埋伏一万人想突袭马燧。马燧半夜里下令士兵起床吃饭，天刚破晓，鼓角齐鸣，佯作进攻，却偷偷地让主力渡过洹水移师魏州，下令说："贼兵到后，停止行军，立即布阵！"同时留下一百名骑兵，拿着火把藏匿在桥旁，等田悦的兵士全部渡河后，烧毁桥道。

马燧率领军队走了大约十里路，田悦果然率领军队渡河追来，乘着风势纵火，并且高声叫嚣着前进。马燧命令士兵不要轻举妄动，先清除了阵前百步内的草丛，命勇士五千人为先锋，设阵待敌。等田悦的部众到跟前时，因大火已经熄灭，所以士气也跟着衰竭。马燧这时发兵攻击，田悦大败后退，但因三桥被毁，田悦军队大乱，因逃命跳水淹死的，难以计数。

## 10.韩世忠

【原文】

世忠驻镇江。金人与刘豫合兵分道入侵。帝手札命世忠饬守备，图进取，辞旨恳切。世忠遂自镇江渡师，俾统制解元守高邮，候金步卒；亲提骑兵驻大仪，当敌骑。伐木为栅，自断归路。会遣魏良臣使金。世忠撤炊爨，绐良臣："有诏移屯守江。"良臣疾驰去。世忠度良臣已出境，而上马令军中曰："视吾鞭所向！"于是引军至大仪，勒五阵，设伏二十余所，约闻鼓即起击。

良臣至金军，金人问王师动息，具以所见对。聂儿孛堇闻世忠退，喜甚，引兵至江口，距大仪五里。别将挞孛也引千骑过五阵东。世忠传小麾，鸣鼓，伏兵四起，旗色与金人旗杂出。金军乱，我军迭进，背嵬军各持长斧，上椹人胸，下斫马足。敌披重甲，陷泥淖。世忠麾劲骑四面蹂躏，人马俱毙，遂擒挞孛也等。

【译文】

南宋名将韩世忠镇守镇江时，金人与伪齐皇帝刘豫相互勾结，分头入侵宋境。宋高宗亲笔下诏，命令韩世忠严加守备，图谋进取，言辞十分恳切。韩世忠于是由镇江亲自率军渡河，他命统制官解元防守高邮，抗御金人步兵，自己则亲率骑兵驻守大仪，抵挡金人骑兵。韩世忠命人伐木做成栅栏，阻断了自己军队的退路。正好魏良臣奉命出使金国，韩世忠就命令士兵撤炊灶，骗魏良臣说："皇上下令移营防守长江。"魏良臣策马疾驰而去。韩世忠估计魏良臣已出边境后，就上马对全军士兵说："注意看我马鞭所指的方向。"于是引领全军到大仪地区排列成五个军阵，并在二十多处险地埋伏士卒，约定以鼓声为出击信号。

魏良臣抵达金人营地后，金人询问魏良臣有关宋军部署的情形，魏良臣一一据实相告。聂儿孛堇听说韩世忠退兵守江，非常高兴，率兵来到距大仪约有五里路的江口。这时副将挞孛也率领一千名骑兵，正经过宋军五阵的东面。韩世忠传令小兵击鼓，埋伏的士兵蜂拥而出，宋军的旗帜与金人的旗帜混杂一起，金兵顿时大乱。宋军乘胜猛攻，韩世忠更督令背嵬兵每人各持长斧一把，上刺人胸，下砍马脚，金兵穿着笨重的盔甲，陷在泥地里，根本无法挥刀抵抗，这时韩世忠再命精锐骑兵由四方冲杀陷在泥地的金兵，人马都被杀死，最终擒获了挞孛也等人。